मोदी सरकार
नए प्रयोग, नए विचार

लेखक
विनय सहस्रबुद्धे
धीरज नय्यर

अनुवाद एवं सम्पादन
प्रदीप पंडित

डायमंड बुक्स
www.diamondbook.in

प्रकाशक : डायमंड पॉकेट बुक्स (प्रा.) लि.
X-30 ओखला इंडस्ट्रियल एरिया, फेज-II
नई दिल्ली-110020
फोन : 011-40712200
ई-मेल : sales@dpb.in
वेबसाइट : www.diamondbook.in
संस्करण : 2019
मुद्रक: आदर्श प्रिंटर्स, शाहदरा, दिल्ली-110032

MODI SARKAR : NAYE PRAYOG, NAYE VICHAAR

By : **Vinay Sahasrabudhhe and Dhiraj Nayyar**

Edited & Translated by : **Pradeep Pandit**

प्रस्तावना

नवीनता और नई सोच की कोई सीमा नहीं होती! बल्कि यह सच है कि मानव सभ्यता का विकास नई खोजों और आविष्कारों के माध्यम से हुआ है। जिसने भी यह कहा है कि रोशनी का नहीं होना ही "अँधेरा" नहीं होता, बल्कि "अँधेरा" वह होता है जब हम उस अँधेरे को हटाने की कोई कोशिश ही नहीं करते। इसी प्रकार समस्या केवल वह नहीं होती जब आपके पास उसका समाधान नहीं होता; समस्या वह होती है जब आपके पास नई सोच नहीं होती, क्योंकि नई सोच से ही नवीनता का जन्म होता है और नई सोच लाने के लिए हमें पहले उसके लिए माहौल तैयार करने की जरुरत होती है।

इस माहौल के कुछ मुख्य तत्व हैं कि आप अपने अंदर ऐसे संकल्प लाएं जो आपको आरामदायक माहौल से बाहर निकालें और कुछ बदलाव लाने के बारे में सोचने को बाध्य करें, क्योंकि पुरानी बातों की आदत डाल लेने से हम जीवन में कुछ नया नहीं कर सकते। शायद अंग्रेजी में जिसे "आउट ऑफ द बॉक्स" कहते हैं उसका तात्पर्य भी यह है कि आप कुछ नया और ताजा करें और सोचें। ऐसा करने से ही आपके जीवन में ऐसे बदलाव आ सकते हैं जो आपके जीवन को बेहतर बना सकते हैं।

हालाँकि यह जानना जरूरी है कि लोग नवीनता क्यों लाना चाहते हैं-उससे भी ज्यादा जरूरी है कि हम यह सोचें कि लोग नयापन क्यों नहीं लाते या नहीं लाना चाहते। ऐसा नहीं है कि सालों पुरानी समस्याओं के आसान समाधान नहीं होते, कई बार लोग इन समाधानों की ओर इसलिए ध्यान नहीं देते, क्योंकि वह उन समस्याओं को सुलझाना ही नहीं चाहते, क्योंकि इसमें ही उनकी भलाई होती है!

बहुत सालों बाद भारत को ऐसा प्रधानमंत्री मिला जो इस सिद्धांत का जीता-जागता उदाहरण है कि बिना किसी भावनात्मक लगाव के किसी बात में या किसी काम में अपने आप को संलग्न किया जा सकता है। निजी लक्ष्य और स्वार्थपरता से कहीं दूर उन्होंने देशहित को उसके विकास को स्थापित किया है। इससे स्पष्ट है कि वे परिस्थितियों को बदलना चाहते हैं और इसके लिए जो रास्ता उन्होंने अपनाया है वह है "बातों को आड़े हाथों लेना"। इस रवैए ने नई सोच को जन्म दिया है और शासन में आये बदलाव इसी सोच का नतीजा हैं। इन्हीं बदलावों को मोदी सरकार ने तीन सालों में लागू भी किया है और यह सरकार, भारत की अब तक की सबसे अधिक नवीनता से काम करने वाली सरकार हो गयी है। जब एक व्यक्ति कुछ नया सोचता है तो दूसरे लोग भी प्रेरित होते हैं और उन्हें भी प्रोत्साहन मिलता है कि वह कुछ नया और हटकर सोचें और इससे नवीनता की पूरी संस्कृति बन जाती है।

हम इसी परिप्रेक्ष्य में कुछ लेखों का आंकलन प्रस्तुत कर रहे हैं जिनमें शासन से सम्बंधित 17 मुख्य नये विचारों की रूप-रेखा दी गयी है- और जिन्हें इस पुस्तक के माध्यम से 'गोवर्ननवाशंस' का नाम दिया गया है। अधिकांश लेख इन विचारों की जरुरत पर केंद्रित हैं, वह कैसे सोचे गए और ऐसे विचारों के प्रभाव क्या पड़ें और उनसे क्या लाभ हुआ है या 'आने वाले समय में क्या होगा'। लेखों का यह समूह केवल इन 17 नए विचारों के बारे में नहीं है, बल्कि इस बात को भी प्रमुखता देना चाहता है कि मोदी सरकार में नए विचारों को पूरा महत्व दिया गया है और पूरी ईमानदारी से लागू किया गया है और उन्हें केवल 'उत्कृष्ट विचार' का तमगा सहेज कर नहीं रखा गया।

भारत जैसे देश में शासन में नए विचार के प्रलेखीकरण से दो मुख्य बातें होंगी-पहली यह कि समाज के रूप में यह जरूरी है कि हम नई सोच को एक दूसरे स्तर पर लेकर जाएँ, जो कि 'जुगाड़' से हटकर है। 'जुगाड़' अपने आप में बुरी चीज नहीं है-इसका अर्थ होता है, सरल तरीकों से निकाले गए समाधान। लेकिन इतने सालों में लोगों के मन में यह बात आ गयी है कि जुगाड़ का मतलब होता है- लोगों को या शासन तंत्र को झांसा देकर अपना काम पूरा करना। जब नए विचारों को सम्मान प्राप्त होगा तो इस तरह के जुगाड़ों में कमी आएगी और अच्छे हलों की कोशिश की जाएगी जो लम्बे

समय तक साथ देंगे और प्रधान मंत्री नरेंद्र मोदी ने इस नवीनता की सभ्यता के महत्व को समझा है और वह चाहते हैं कि छोटी उम्र से ही नागरिकों में यह रचनात्मकता, और 'कुछ नवीन करने' की भावना आए। इस उद्देश्य से सरकार का अरल इनोवेशन मिशन भारत भर में स्कूलों में 'अराल थिकरिंग' प्रयोगशालाएं खोल रहा है जिनमें उन्हें विज्ञान की नवीनतम तकनीकें उपलब्ध होंगी और भारत के भावी नागरिकों को किताबों के अलावा भी नए विचारों से मुखातिब होने का अवसर मिलेगा, क्योंकि यही वह पीढ़ी है जो इक्कीसवीं सदी को भारत की सदी बनाएगी।

दूसरी यह बात है, कि जब सभी प्रणालियाँ आपको नतीजे देती हैं और सुनिश्चित करती हैं कि लाभ सभी को मिले, तब शासन में नवीन विचार और अधिक महत्वपूर्ण हो जाते हैं। पुरानी बातों से हटकर वर्तमान सरकार ने यह किया है कि जिन लोगों पर सरकारी सेवाएं देने की जिम्मेदारी है वही पुरानी समस्याओं का समाधान निकालें। मंत्रियों के समूह बनाने के बदले, प्रधानमंत्री मोदी ने सचिवों और नौकरशाहों के समूह बनाये हैं ताकि वह तंत्र जो नियमों और नीतियों को लागू करने के लिए जिम्मेदार है, वही हल ढूंढें और काम नहीं होने के बहाने न तलाशें। उनकी यह तीव्र इच्छा कि 'तंत्र अपना काम करे', इस बात से स्पष्ट होती है कि जिन लोगों के पास कुछ नहीं है, उन तक सुविधाएँ पहुंचनी चाहिए। इसलिए यह स्पष्ट है कि गरीबों के हित के लिए हर नए विचार को अधिक महत्व मिलना चाहिए। इसके लिए भी नए विचारों का प्रलेखीकरण करना बहुत आवश्यक है।

अंत में, इन लेखों के संकलन की विषय-वस्तु संशोधनों पर नहीं केवल शासन के नए विचारों पर केंद्रित है। हमारी कोशिश रही है कि यहां नवीनता का वह अर्थ लिया जाये जो शब्द-कोष में होता है, जिसका अर्थ है "किसी कार्य को करने के नए तरीके, कोई नए विचार या नई वस्तु"। हमने मोदी सरकार के केवल वही प्रोग्राम या योजनाएं यहां दी हैं जिस पर देश में पहली बार सोचा गया या लागू किया गया है। हालाँकि हमने शासन द्वारा लागू 17 नवोन्मेषों को भी इसमें शामिल किया है, हालांकि उनकी संख्या इससे अधिक है। इसे हम पहला संकलन कह सकते हैं और निकट भविष्य में ऐसे अन्य संकलन प्रकाशित किए जा सकते हैं। इस सरकार ने जो संशोधन किये हैं उनके लिए हमें अलग से ध्यान देना होगा।

इस पुस्तक में जिन नवोन्मेषों के बारे में बात की गयी है वह काफी अलग-अलग हैं। इनमें से कुछ को तो हम संस्थागत नवीनताएँ कह सकते हैं। इनमें से कुछ के मकसद तो स्पष्ट रूप से अधिक पारदर्शिता और जवाबदेही लाना है, कुछ हमारी सभ्यता की उत्कृष्टता बताते हैं, और कुछ सामाजिक न्याय को बेहतर तरीके से देने की बात करते हैं। लेकिन इनमें से अधिकांश नवोन्मेष इस बात पर केंद्रित हैं कि देश के लोगों का जीवन अधिक सरल कैसे बनाया जाये। इस पुस्तक के 17 अध्यायों के अंत में हमने नरेंद्र मोदी द्वारा दिए गए एक भाषण के कुछ अंश लिए हैं। यह भाषण उन्होंने तब दिया था जब वे गुजरात के मुख्य मंत्री थे और इसका विषय था सुशासन, जानते होंगे कि यह विषय उनके दिल के बहुत करीब है। हम मानते हैं कि इन लेखों के उपसंहार पाठकों को बता सकेंगे कि ऐसे नेता के लिए नवोन्मेष क्यों इतना जरूरी है जो चाहता है कि बदलाव आये।

हम प्रधानमंत्री श्री नरेंद्र मोदी के आभारी हैं कि उन्होंने इस सोच को सराहा और हमारे प्रयत्नों को पूरा सहयोग दिया। हम मंत्रिमंडल सचिव श्री सिन्हा और उनके सहकर्मियों को भी धन्यवाद देना चाहेंगे। श्री भास्कर खुल्बे, श्री अनुराग जैन और प्रधानमंत्री कार्यालय के अन्य अधिकारियों के सक्रिय सहयोग के बिना, यह पुस्तक प्रकाश में नहीं आ सकती थी। हम इन सबके आभारी हैं। हम मेसर्स ब्लू पेंसिल प्राइवेट लिमिटेड को भी धन्यवाद देना चाहेंगे, जो एक मीडिया संस्था है और प्रलेखीकरण की प्रक्रिया में व्यावसायिक तौर पर हमारी सहायता करती है। हम रामभाई माहालगी प्रबोधिनी के रवि पोखरना और अपने प्रकाशक नरेन्द्र कुमार वर्मा का भी धन्यवाद करना चाहेंगे कि उन्होंने इस कार्य के लिए का तालमेल बैठाया।

विषय-वस्तु

अध्याय 1

विकास पर संवाद

ऐसे बहुत कम प्रधानमंत्री होते हैं जो किसी भी योजना के लागू करने और उसकी देख-रेख की प्रक्रिया में ज्यादा समय देते हैं। लेकिन प्रधानमंत्री नरेंद्र मोदी के लिए यह साधारण बात है। भारत के राजनैतिक इतिहास में ऐसे उद्धरणों की कमी नहीं है जहाँ इरादे नेक थे लेकिन उनका अमलीकरण ठीक से नहीं हो पाया। सरकार का दायित्व प्रधानमंत्री से शुरू होता है और उन्हीं पर समाप्त होता है, और जहाँ तक योजनाओं को लागू करने की बात है, प्रधानमंत्री मोदी अपनी जिम्मेदारी को बहुत तन्मन्यता से निभाते हैं।

मार्च, 2015 से हर माह प्रधानमंत्री सरकार के क्रियान्वयन प्रमुखों के साथ कांफ्रेंस करते हैं। इसमें भारत के 29 राज्यों और सात केंद्र शासित प्रदेशों के विभिन्न मंत्रालयों और विभागों के सचिव शामिल होते हैं। करीब एक-दो घंटों तक प्रधानमंत्री प्रत्यक्ष रूप से लोगों की शिकायतों को सुनते हैं, अवसंरचना की मुख्य योजनाओं की समीक्षा करते हैं और योजनाओं के क्रियान्वयन की जांच करते हैं। यह 'प्रगति' है या 'प्रो-एक्टिव गवर्नेंस और 'टाइमली इम्प्लीमेंटेशन'। जिसका अर्थ है 'सक्रिय शासन और समय पर क्रियान्वयन'। 'प्रगति' सदैव एक नई चीज होती है जो शासन की धीमी प्रक्रिया को गति प्रदान करती है।

प्रगति ने केंद्र सरकार और राज्य सरकारों के बीच के ताल-मेल को एक नए स्तर पर पहुंचा दिया है। वीडियो कॉन्फ्रेंसिंग, डिजिटल डाटा मैनेजमेंट और भूगोल और स्थान-विशेष जानकारी की प्रणालियों के मेल से यह प्रधानमंत्री कार्यालय को इस बात के लिंए सक्षम बनता है कि वह केंद्र और राज्य सरकारों के उद्यमों के विकास को साथ-साथ ट्रैक करते रहें। अपनी

ओर से अधिकारी आपस में जानकारी साझा कर पाते हैं और समस्याओं का समाधान ढूंढ सकते हैं। ऐसा निर्धारित मीटिंग होने से पहले-एक बार मीटिंग के विषय पर बात हो जाने के बाद किया जाता है। यह बात कि आप प्रत्यक्ष रूप से प्रधान मंत्री के प्रति जवाबदेह होंगे, आपको नतीजे देने के लिए प्रेरित और कटिबद्ध करती है।

संघवाद की भावना से सुसंगत यह प्रणाली पारदर्शिता और जवाबदेही लेकर आयी है। यह राज्य स्तर के अधिकारियों, और केंद्र सरकार के सचिवों और प्रधान मंत्री कार्यालय के समक्ष लेकर आती है, जिसका नतीजा तीन-स्तर की बातचीत में मिलता है, जिससे बिना किसी हिचकिचाहट के आपस में संवाद करने और मुद्दों के जमीनी स्तर तक क्रियान्वयन का रास्ता मिलता है। यह जटिल बहु-स्तरीय निर्णय लेने की प्रणाली को समाप्त करती हैं और अंशधारकों की परस्पर-विरोधी प्राथमिकताओं के बीच ताल-मेल बैठाती है।

चलिए हम एक शुरुआती प्रगति मीटिंग की ओर चलते हैं। प्रधान मंत्री, नरेंद्र मोदी की डिजिटल छवि कांफ्रेंस रूम पर छाई हुई है, जहाँ जम्मू और कश्मीर के वरिष्ठ अधिकारी इकठ्ठा हुए हैं और मीटिंग का मुद्दा है बांदीपोरा जिले के किशनगंगा जल-विद्युत् योजना की चर्चा। मुख्य सचिव ब्रिज राज शर्मा और उनकी टीम सूट और जैकेट पहने हुए हैं, क्योंकि सितम्बर में श्रीनगर में थोड़ी-थोड़ी ठण्ड शुरू हो जाती है। प्रधान मंत्री अपने जाने-माने मोदी कुर्ते में हैं, क्योंकि दिल्ली में अभी लम्बी आस्तीन के कुर्तों के लायक सर्दी नहीं है।

एक टेबल के चारों ओर दस अधिकारी बैठे हैं और उनके मुखिया हैं सचिव जो सीधे प्रधान मंत्री के सामने हैं। दस अन्य भागीदार डिजिटल रूप से उपस्थित हैं और उनके साथ स्क्रीन साझा कर रहे हैं। 2015 का वर्ष है और प्रधान मंत्री की हार्दिक इच्छा है कि बिना किसी विलम्ब के किशनगंगा योजना लागू की जाये। अभी तक, इस योजना में बहुत अड़चनें आई हैं, जब पाकिस्तान ने चाहा है कि 'हेग' में इसकी बात करके इसे रोका जाये, लेकिन भारत ने किसी तरह इसे जारी रखा।

330 मेगावाट की योजना की स्थिति का वर्णन करते हुए, मुख्य सचिव प्रधान मंत्री को बताते हैं कि तीन हेक्टेयर के अलावा 379 हेक्टेयर भूमि और चाहिए थी, वह हासिल कर ली गयी है, जिसमें 185 परिवारों को उनके स्थान से हटाना पड़ा। उनके पुनर्वास और पुनः-आवास के लिए जो योजना बनाई गयी

थी वह संभव नहीं थी, इसलिए उसे बदल दिया गया। प्रधान मंत्री ऊर्जा सचिव को कहते हैं कि वह जम्मू कश्मीर सरकार के साथ ताल-मेल करके योजना को आगे बढ़ाएं और साथ ही हटाए गए परिवारों का ठीक तरह से पुनर्वास करें।

किशनगंगा अनेक योजनाओं में से एक थी जिसे छठी प्रगति मीटिंग में प्रधान मंत्री से थोड़ा सा प्रोत्साहन मिला। सीधे प्रधान मंत्री के साथ बैठकर देश-भर के अधिकारियों ने पाया कि वह अपनी निगरानी की योजनाओं पर उनसे सीधे बातचीत कर रहे हैं। अर्थात् उन्होंने पाया कि वे न सिर्फ प्रधानमंत्री से रू-ब-रू हैं बल्कि सीधे उनके प्रति उत्तरदायी भी हैं। ऐसी स्थिति पहले कभी नहीं रही।

प्रगति से पहले केंद्र और राज्य स्तर के अधिकारी बात-चीत में आ रहे समय के अंतराल और जानकारी की कमी का सामना करते थे। इससे योजनाओं और एनपीए की लागत बढ़ जाती थी, जिससे अर्थव्यवस्था पर जोर पड़ता था और जिन्हें लाभ मिलना होता था उन तक लाभ पहुँचता नहीं था। जब अवसंरचना की योजनाओं में समय और पैसा अधिक लगता तो अर्थव्यवस्था के दूसरे क्षेत्र भी प्रभावित होते थे।

ताल-मेल और जानकारी की कमी और समय पर बात-चीत नहीं होने से विलम्ब करने की एक सभ्यता बनती चली गयी। छोटी-छोटी समस्याओं का समाधान कैसे किया जाए इस पर कोई स्पष्ट सोच नहीं बन पाती थी, न ही क्रियान्वयन समय पर होता था या कोई इस पर जोर देता था। इस रवैए का कारण था कि योजनाओं की समय समय पर समीक्षा नहीं होती थी और विलम्ब के लिए कोई भी जिम्मेदार भी नहीं ठहराया जाता।

साफ था कि जल्दी ही योजनाओं से सम्बंधित शिकायतों को सुलझाने की आवश्यकता थी, जिससे सरकार की योजना लागू करने की क्षमता बढ़े। अवसंरचना की योजनाओं के लिए, वीडियो कॉन्फ्रेंसिंग और डाटा और स्थान-सम्बन्धी चित्रों की प्राप्ति की आवश्यकता थी; ताकि सम्पूर्ण समीक्षा हो सके।

एक बार प्रधान मंत्री कार्यालय ने संवादात्मक मंच की जरुरत बता दी तो नेशनल इन्फार्मेटिक्स सेंटर ने प्रगति को रूप दिया। इसमें पहला कदम यह था कि प्रत्येक सचिव और मुख्य सचिव को वीडियो कॉन्फ्रेंसिंग की सुविधा प्राप्त हो। यह तय किया गया कि हर महीने के चौथे बुधवार को दिन में 3.30 बजे प्रगति दिवस के रूप में देखा जाएगा।

प्रक्रिया इस प्रकार से है: वीडियो कान्फ्रेंसिंग से एक सप्ताह पहले वह मुद्दे जो प्रधान मंत्री कार्यालय और राज्य सरकारों ने तय किये हैं (चल रही और लंबित योजनाओं पर सार्वजनिक शिकायतें), उन्हें अपलोड किया जाता है। प्रत्येक सचिव और मुख्य सचिव का एक यूजर आईडी और पासवर्ड होता है जिससे वह 'लॉग-इन' करता है, ताकि वह अपने विभाग से सम्बंधित मुद्दे देख सके और तीन दिनों के अंदर अपनी टिप्पणियां डाल सके। मीटिंग से पहले प्रधान मंत्री कार्यालय उनकी समीक्षा करते हैं।

जब प्रधान मंत्री एक योजना की समीक्षा करते हैं तो सभी सम्बंधित अधिकारी साथ होते हैं और प्रधान मंत्री के कार्यालय में तीन स्क्रीनों में से एक पर सम्पूर्ण विवरण और हाल की जानकारी दिखाई जाती है। अधिकारी एक U आकार की टेबल के चारों ओर बैठते हैं और प्रधान मंत्री टेबल के एक सिरे पर बैठते हैं। एजेंडा के प्रत्येक विषय के लिए यही चक्र दोहराया जाता है।

उदाहरण के लिए, किशनगंगा योजना पर चर्चा करने के बाद प्रधान मंत्री ने पेटेंट और ट्रेडमार्क आवेदनों में हो रहे अप्रत्याशित विलम्ब का मुद्दा उठाया। उन्होंने कहा कि पूरी प्रक्रिया को विश्व स्तर तक लाने की जरुरत है और फॉर्मों की संख्या कम करने की जरुरत है। उन्होंने 17 राज्यों में सौर-ऊर्जा के पार्कों की जांच भी की और देख-रेख कर रहे अधिकारियों से कहा कि यह उन पर निर्भर है कि वह तेजी से क्रियान्वयन की परिस्थितियाँ बनाएं।

अफगानिस्तान में भारत की योजनाओं की ओर जाते हुए उन्हें संसद भवन और सलमा बाँध के विकास से अवगत कराया गया। उन्होंने सार्क क्षेत्र में सभी भारतीय उद्यमों में तेजी से नतीजे देने की बात पर जोर दिया।

रेल, मेट्रो रेल, कोयला और लोहे का खनन, रोड, ऊर्जा और हवाई क्षेत्र में मुख्य अवसंरचना योजनाओं पर भी चर्चा हुई। इनमें शामिल था लखनऊ मेट्रो रेल योजना (चरण 1 क)- जिसे प्रधान मंत्री की मंजूरी मिली, खुर्दा-बोलबजित चौड़ी रेल योजना ओडिशा में मुंबई मेट्रो रेल लाइन 3 (कोलाबा-बांद्रा SEEPZ) और सिक्किम में पक्योंग हवाई अड्डा- जिसे उन्होंने उत्तर-पूर्वी राज्यों को जोड़ने के लिए और पर्यटन को बढ़ावा देने के लिए बहुत महत्वपूर्ण बताया।

प्रगति की मुख्य कांफ्रेंस 25 मार्च, 2015 को हुई जो उत्तर भारत में रिकॉर्ड तोड़ने वाली वर्षा के ठीक बाद की बात है। बगीश से रबी की फसल बहुत

प्रभावित हुई क्योंकि यह बारिश बेमौसम की बारिश थी। प्रभावित किसानों को राहत देने की बात प्राकृतिक रूप से प्रधान मंत्री के दिमाग में थी और सबसे पहले उसी मुद्दे पर बातचीत हुई।

उन्होंने सार्वजनिक क्षेत्र की दो शिकायतें भी लीं, जिनमें करीब 20 लोग संलग्न थे और मुद्दा था- (क) निजी क्षेत्र की हस्तियों द्वारा कर्मचारियों के भविष्य निधि कोष का भुगतान और (ख) आयकर वापसियां। शिकायतों का तुरंत निवारण किया गया। यह देखा गया है कि 'प्रगति' के हस्तक्षेप से प्रणालियों में भी सुधार आता है और ऐसी शिकायतें दोबारा नहीं आतीं।

उत्तर प्रदेश और महाराष्ट्र ने राष्ट्रीय राजमार्ग और नवी मुंबई हवाई अड्डे की योजना से सम्बंधित मुद्दे उठाए। कुल 6 केंद्र सरकार की योजनाएं जिनमें एक दर्जन से अधिक मंत्रालय और 13 राज्य शामिल थे, जिनमें विभिन्न अनुमतियों और गतिविधियों को लेकर विलम्ब हो रहा था। मीटिंग के दौरान ही कुछ समस्याओं का समाधान हो गया। प्रधान मंत्री ने स्कूलों में शौचालय और स्वच्छ भारत अभियान में आ रही कुछ रुकावटों को निपटाया और आवश्यकतानुसार निर्देश जारी किए। संयोग से यह निर्देश प्रगति प्रणाली में भी हैं जिससे यह सुनिश्चित हो कि जब तक मामले का समाधान न हो इनकी ओर ध्यान दिया जाए।

जून, 2017 तक 'प्रगति' की 17 मीटिंग हो चुकी थीं और केंद्र और राज्य सरकार की 167 योजनाओं को गति दे दी गयी जो विभिन बाधाओं के कारण वर्षों से लंबित थे और जिनका मूल्य 8,31,000 करोड़ का था। इनमें से अधिकांश अवसंरचना की योजनाएं थीं जो रेल, राष्ट्रीय राजमार्गों, ऊर्जा, कोयले, और नागरिक पर्यटन से सम्बंधित थीं। और 16 मंत्रालयों/विभागों की 38 प्रमुख योजनाओं की समीक्षा की जा चुकी थीं।

22 अप्रैल, 2015 को प्रगति की दूसरी मीटिंग में प्रधानमंत्री ने भारत-म्यांमार-थाईलैंड त्रिपक्षीय राजमार्ग के सम्बन्ध में, भारत, म्यांमार और थाईलैंड के राजदूतों के साथ चर्चा की। उन्होंने कहा कि उत्तर-पूर्वी क्षेत्र का सम्पूर्ण विकास अवसंरचना की योजनाओं को गति देने पर निर्भर है। इस सन्दर्भ में उन्होंने पश्चिम बंगाल और असम में रेल की योजनाओं की चर्चा भी की और म्यांमार में 'ऋह-तेदिम' रोड की योजना को महत्वपूर्ण बताया और कहा कि इसे जल्दी पूरा किया जाना चाहिए।

प्रधान मंत्री ने इस बात पर जोर दिया कि 'प्रगति' की बैठकों का मकसद विभिन्न सरकारी एजेंसियों के बीच उन अवरोधों को तोड़ना है जो निर्णय लेने की प्रक्रिया में बाधा होते हैं। उदहारण के लिए उन्होंने सुझाव दिया कि सैटलाइट की तकनीक से जन-जातियों के आवासों के बारे में पता लगाया जा सकता है, ताकि उन्हें जमीन का वह अधिकार मिल सकें जो वन अधिकार नियम 2006 ने उन्हें दिया था।

'प्रगति' की दूसरी मीटिंग में सार्वजनिक शिकायतें भी उठायी गयीं जो एलपीजी के वितरण और बीएसएनएल सेवाओं से सम्बंधित थीं। दोनों विभागों को फटकारा गया और कहा कि वह ऐसी प्रणालियाँ स्थापित करें ताकि भविष्य में ऐसी मुश्किलें न आएं, लेकिन कच्चे तेल और प्राकृतिक गैस के मंत्रालय की उनकी कुछ अच्छी पहलों की लिए पीठ भी थपथपाई गई।

27 मई को हुई अगली बैठक में प्रधानमंत्री यह कहने के हकदार थे कि 'प्रगति' से निर्णय लेने की प्रक्रिया तेज हो रही थी और समस्याओं को सुलझाने और तेज क्रियान्वयन की भावना पनप रही थी। लेकिन पूर्व-सेवा-कर्मियों की पेंशन और सेवा-निवृत्ति के लाभों में हुए विलम्ब के सम्बन्ध में वह काफी नाराज नजर आए। एक मुद्दा जिसपर उनका ध्यान खिंचा वह था भिलाई स्टील कारखाने के आधुनिकरण और बढ़ावे में हुए विलम्ब का। उन्होंने इस्पात और भारी उद्यमों के मंत्रालय को कहा कि वह इसे जल्दी से निपटाएं।

चौथे सत्र तक प्रधानमंत्री ने राज्य सरकारों को बधाई दी कि उन्होंने योजनाओं पर काफी विकास किया, लेकिन वह लम्बे-चल रहे विवादों को लेकर काफी परेशान थे और उन्होने सुझाव दिया कि मामलों के न्यायालय में चलते-चलते यदि उनकी मुख्य बातों को उजागर किया जाए तो शायद कुछ फायदा हो। उनका सुझाव काफी व्यावहारिक रहा। ओडिशा में सड़कों को जोड़ने के सम्बन्ध में उन्होंने कहा कि ओडिशा में त्योहारों का तांता शुरू होने वाला है, जैसे नबल्कलेबरा, मध्य प्रदेश में सहर्ष और महाराष्ट्र में कुम्भ इसलिए यातायात, स्वच्छता और सुरक्षा के प्रबंध बिलकुल बढ़िया होने चाहिएं ताकि इतनी अधिक भीड़ को ठीक से संभाला जा सके।

एक योजना जिसपर उनकी नजर गयी वह थी 'क्राइम एंड क्रिमिनल ट्रैकिंग नेटवर्क एंड सिस्टम', (CCTNS)। उन्हें वीडियो कॉन्फ्रेंसिंग से तीन पुलिस स्टेशनों ने एक डेमो दिया। इनमें असम, आंध्र प्रदेश और कर्नाटक;

और अंत में उन्होंने कहा कि इस प्रणाली को और अधिक आधुनिक बनाते हुए इसे प्राथमिकता दी।

बैठक में अनेक सार्वजनिक शिकायतें थीं जिनमें से एक थी रेलवे में भ्रष्टाचार, डाक विभाग की अक्षमता और छात्र-वृत्तियाँ देने और पासपोर्ट की डिलीवरी में विलम्ब। वह जानना चाहते थे कि विद्यार्थियों को समय पर छात्र-वृत्तियाँ क्यों नहीं दी जा रहीं? उन्होंने विद्यार्थियों को 'आधार' से जुड़े लाभों के दिए जाने के बारे में भी पूछा। पासपोर्ट सेवाओं के सम्बन्ध में विदेश मामलों और गृह मंत्रालय को कहा गया कि वह एक मिली-जुली कार्यशाला का आयोजन करें ताकि यह जांच सकें कि पासपोर्ट का जल्दी वितरण कैसे किया जाए।

डाक विभाग की बात दो बार आई और दोनों बार प्रधान मंत्री ने कहा कि नीति के लाभ, मनी आर्डर और चिट्ठियां समय पर भेजी जानी चाहिए क्योंकि इनसे समाज के सबसे गरीब लोगों का वास्ता है। डाक सेवाओं के प्रसार का उल्लेख करते हुए प्रधानमंत्री ने जानना चाहा कि जो लोग इस अमले की लापरवाही और गलतियों के लिए जिम्मेदार हैं उनके विरुद्ध क्या कार्यवाई की गई है। उन्हें ई-व्यापार से जुड़ी बहुत-सी शिकायतें जैसे टिकट और होटल की बुकिंग से सम्बंधित मिलीं। उन्होंने कहा कि 'नेशनल कंस्यूमर हेल्प लाइन' को अपनी क्षमता बढ़ानी पड़ेगी, ताकि इस मुद्दे को दस दिनों में सुलझाया जा सके। इसी तरह दूरसंचार सेवाओं के उपभोक्ताओं ने सेवा के स्तर के बारे में और लैंडलाइन के काम नहीं करने की शिकायतें की थीं। करदाताओं की अनेक शिकायतों की वजह से आयकर विभाग भी उनकी नजर में आया। रेलवे से कहा गया कि भ्रष्टाचार से सम्बंधित जो लाखों शिकायतें हैं उन्हें बहुत कठोरता से निपटना होगा और गलती कर रहे अधिकारियों के विरुद्ध कार्यवाही होनी चाहिए। उन्हें निर्देश दिए गए कि सभी शिकायतों और प्रश्नों के लिए एक ही टेलीफोन नंबर दिया जाए।

काम करने वालों और ईपीएफ के लाभार्थियों द्वारा की गयी ढेर सारी शिकायतों से ईपीएफओ और ईएसआईसी के कमिश्नरों की छवि खराब हुई। प्रधान मंत्री ने कहा कि लोकतंत्र में काम करने वालों को अपनी मेहनत के पैसे के लिए इधर-उधर नहीं भटकने की जरुरत होनी चाहिए। उन्होंने श्रम मंत्रालय को निर्देश दिए कि वह एक ऐसी प्रणाली शुरू करें जहाँ कर्मचारियों

को सेवा-निवृत्ति से सम्बंधित लाभ एक साल पहले ही शुरू हो जाने चाहिएं और यदि किसी की असमय मृत्यु हो जाती है तो एक समय-सीमा में ही दावों को पूरा करना चाहिए और अधिकारियों को जिम्मेदार ठहराना चाहिए।

समय के साथ यह स्पष्ट हो गया कि प्रधान मंत्री कार्यालय के लिए सार्वजनिक स्वास्थ्य बहुत महत्वपूर्ण मुद्दा है। प्रधान मंत्री ने केंद्रीय सरकार स्वास्थ्य सेवाओं, संशोधित ट्यूबरक्लोसिस नियंत्रण प्रोग्राम और शिशु और माता मृत्यु दर और मिशन इंद्रधनुष जो बच्चों का पूर्ण टीकाकरण करता है, के अंतर्गत दी जा रही सेवाओं की समीक्षा की। उन्होंने सुझाव दिया कि एनसीसी और नेहरू युवा केंद्र जैसी संस्थाओं को टीकाकरण की योजनाओं में संलग्न करना चाहिए।

प्रधान मंत्री ने भारत में कारोबार में आसानी की वरीयता का मुद्दा भी उठाया और सभी मुख्य सचिवों से कहा कि वह अक्टूबर 2016 की विश्व बैंक की रिपोर्ट पढ़ें और यह देखें कि उनके विभागों और राज्यों में सुधार की कितनी गुंजाइश है। इस सम्बन्ध में विकास की साप्ताहिक समीक्षा की जाती है और हाल की रैंकिंग्स (वरीयता) से पता चला है कि पहली बार भारत चोटी के 100 देशों में से है। यह 37 रैंकिंग्स की बढ़त है। निःसंदेह यह उल्लेखनीय है।

अन्य योजनाएं जिनकी समीक्षा की गयी वह थीं पिछड़े क्षेत्रों विशेष रूप से जहाँ नक्सलवाद, आतंकवाद आदि बहुत है, में मोबाइल के कनेक्शन, मनरेगा के अंतर्गत प्रत्यक्ष लाभ हस्तांतरण, टार्गेटेड पब्लिक डिस्ट्रीब्यूशन सिस्टम (TDPS) का पूर्ण रूप से कम्प्यूटरीकरण, स्वच्छ भारत के अंतर्गत 'waste to wealth' (कबाड़ से समृद्धि) पहल, देश-भर में सौर्य पंप लगाना, राष्ट्रीय कृषि बाजार या eNAM और अर्बन ट्रांसफॉर्मेशन या (AMRUT), प्रधान मंत्री आवास योजना और प्रधान मंत्री खनिज क्षेत्र कल्याण योजना।

एक समय पर प्रधान मंत्री ने सभी मौजूद लोगों (डिजिटल और शारीरिक रूप से) को बताया कि प्रगति के अंदर जिन योजनाओं की समीक्षा की गयी है केवल उन योजनाओं का ही क्रियान्वयन तेज नहीं होना है, बल्कि सभी लंबित योजनाओं का क्रियान्वयन तेज किया जाना है। इस टिप्पणी का तात्पर्य यह था कि लालफीताशाही में थोड़ा बदलाव आना चाहिए ताकि योजनाओं का क्रियान्वयन और उनके नतीजे निरंतर उपेक्षा पर निर्भर न रहें।

'प्रगति' इस बात का प्रतीक है कि अब हमें वह रवैय्या त्यागना होगा कि जो जैसा है उसे वैसा ही रहने दिया जाए और एक नई कार्य-प्रणाली की ओर बढ़ना होगा, एक ऐसी प्रणाली जो प्रभावी परन्तु लचीले निर्णय लेने की अनुमति देती है और समस्याओं के समाधान में लोगों के विचारों को महत्व देती है और नतीजे दिलाती है। प्रगति सच में भारत के विकास को तेज कर रही है।

सन्दर्भ

1. Imp://www.thehindu.com/news/national/India-can-go-ahead-with-Kishenganga/article12352338.ece (सबसे पहले 19 फरवरी 2013 को प्रकाशित हुआ और 9 नवंबर, 2016 को इसे उद्दिनांकित किया गया)
2. http://indiatoday.rintoday.in/strory/coordinate-wirh-jk-govtv-to-expedite-kishanganga-project-pm-to/1/487246.html(30 सितम्बर, 2015 को छापा गया)

अध्याय 2

पारदर्शिता के लिए नया-रास्ता

सरकारी ई-बाजार

एक छोटे से प्रशासनिक नवीकरण का शासन पर बड़ा बदलाव हो सकता है। केवल एक बढ़िया से आईडिया (GeM) की जरुरत है। ऐसा ही एक विचार है सरकारी ई-बाजार जिसे अगस्त, 2016 में शुरू किया गया जो प्रधानमंत्री, नरेंद्र मोदी, के उद्देश्यों में से एक था। जिसमें न्यूनतम प्रशासन अधिकतम शासन, भ्रष्टाचार-रहित भारत, मेक इन इंडिया और सशक्त उद्यमी शामिल था। इसका उद्देश्य था एक सरल और नए ढंग से उस तरीके को बदलना जिससे सरकार सामान और सेवाएं प्राप्त करती है।

व्यापार मंत्रालय के अनुसार भारत सरकार करीब 4 लाख रुपए- भारत के ई-व्यापार बाजार का करीब दुगना-आपूर्तियों को प्राप्त करने में खर्च करती है। यदि हम राज्य सरकारों को भी शामिल करें तो यह संख्या कई गुना बढ़ जाएगी। ऐतिहासिक रूप से प्राप्ति की प्रक्रिया हमेशा से ही अपारदर्शी, और भ्रष्टाचार से लैस, अक्षम और स्तर के मामले में नीचे रही है। 2011 से यूनिटेड नेशंस कन्वेंशन में भ्रष्टाचार के विरूद्ध हस्ताक्षरकर्ता करने के नाते भारत प्रतिबद्ध है कि वह आपूर्ति के लिए ऐसी प्रणाली का प्रयोग करे जो पारदर्शी हो, स्पर्धात्मक हो और निर्णय लेने के लिए विषय-परक रूप से काम करे। जैसा कि दुनिया भर के सार्वजनिक क्षेत्र के वित्तीय विशेषज्ञ मानते हैं 'ऐसा कहना आसान है, करना मुश्किल है'।

सरकारी खरीद के लिए एक विश्व स्तर का मंच बनाने के लिए, व्यवसाय मंत्रालय ने कोशिश की है। सरकार केवल सबसे बेहतर सामान और सेवाएं खरीदे, GeM ये सुनिश्चित करके खरीदारों (सरकारी विभागों/अधिकारियों) और विक्रेताओं के बीच के सीधे संपर्क को हटाकर न्यूनतम प्रशासन से सरोकार रखती है। यह अधिकतम शासन की सहायता करता है।

इससे अधिकारियों की मन-मानी को समाप्त करके, सरकारी खरीद की प्रक्रिया भ्रष्टाचार-मुक्त हो जाती है। सरकार पारदर्शी तरीके से प्राथमिकता के बाजार का सिद्धांत लागू कर सकती है, ताकि भारत में बने सामान की खरीद को प्रोत्साहन मिले और देश में उत्पादन को बढ़ावा मिले। और सबसे महत्वपूर्ण बात यह है कि GeM से सबका स्तर बराबरी पर आ जाता है; अब लाखों छोटे उद्यमी अपना सामान और अपनी सेवाएं देश के सबसे बड़े खरीदार को बेच सकते हैं। पुरानी प्रणाली में, बाजार बड़े खिलाड़ियों के कब्जे में होता था और उद्यमियों के लिए इसमें कोई स्थान नहीं था।

GeM से सरकार को बहुत बचत हो रही है, जिसे कहीं दूसरी जगह उनके फायदे के लिए प्रयोग किया जा सकता है। अभी हाल में ही, GeM ने एक ही लेन-देन में करदाताओं के 6.6 करोड़ रुपए बचा दिए और इसमें इतनी क्षमता है कि यह एक वर्ष में कम-से-कम 40,000 करोड़ बचा सकती है जो मनरेगा के कुल वार्षिक बजट के बराबर है। इस बदलाव को लाने में जो लगा वह था प्रेरणा, कल्पना-शक्ति और डिजिटल टूल्स।

प्रधान मंत्री नरेंद्र मोदी के शब्दों में प्रेरणा, कमियों को कम करके, पारस्परिकता और पारदर्शिता द्वारा 'सरकार भ्रष्टाचार को रोकने के लिए प्रतिबद्ध है। उन्होंने कहा कि महत्वपूर्ण पहलुओं में से एक है सरकार द्वारा लोगों के साथ लेन-देन का व्यवहार कम करना। इसके अनुसार, इस तरह लीवरेजिंग तकनीक के प्रयोग से सार्वजनिक खरीद की प्रक्रिया को बदला जा रहा है।'

करीब-करीब एकाधिकार का, खरीदार के रूप में, कोई सोच सकता है कि सरकार अच्छे स्तर का सामान खरीदने के लिए अपने वर्चस्व का प्रयोग करेगी। लेकिन, प्रत्यक्ष खरीद और समय लेने वाली प्रक्रिया भ्रष्टाचार से भरी हुई थी और यह असली समय की कीमत की प्रणाली नहीं दे पा रही थी क्योंकि तुलनात्मक डाटा उपलब्ध नहीं था।

रेट अनुबंध प्रक्रिया, डायरेक्टरेट जनरल ऑफ सप्लाइज एंड डिस्पोजल (DGS & D) के माध्यम से लागू हुई यह व्यवसाय मंत्रालय के तहत एक केंद्रीय संस्था है, उसे केंद्रीय सरकारी मंत्रालयों, विभागों, सार्वजनिक क्षेत्र के उद्यमों द्वारा प्रयोग किया गया। यह प्रतिस्पर्धा की कमी और आपूर्तिकर्ताओं की गुटबंदी के मौजूदा खतरे से पीड़ित था, क्योंकि उनकी विभाग में पंजीकृत संख्या कम थी। कीमत और उत्पादन के मॉडल पूरे वर्ष के लिए स्थिर किये

जाते थे, स्तर के मामले बहुत होते थे और दूर-दराज के क्षेत्रों में मेल आर्डर की डिलीवरी में लापरवाही बहुत दुखद थी।

खरीद के लिए सामान और सेवाओं को उचित दामों पर देने के लिए एक सक्षम, पारदर्शी और जिम्मेदार प्रणाली की आवश्यकता थी। भारत सरकार के सचिवों के एक समूह को एक आईडिया आया कि वह केवल सरकारी खरीद के लिए एक बाजार बनाए। क्योंकि खरीदार के रूप में सरकार इस लायक थी कि वह अपना खुद का बाजार बनाए। निर्माताओं और थोक विक्रेताओं में प्रतिस्पर्धा बढ़ने से यह होगा कि सरकार को काफी बचत होगी क्योंकि कीमतें कम होंगी। लेकिन खरीद को सुप्रवाह करने, समय से करने की बातें जवाबदेही और पारदर्शिता की कीमत पर नहीं हो सकती थीं।

अमेजन और फ्लिपकार्ट जैसे मंच ने ऑनलाइन का रास्ता दिखाया था। इस क्षेत्र के अन्य खिलाड़ियों से विशेष सामान और सेवाओं के बारे में जानकारी इकठ्ठा करने और उसे मुहैया करने से सामान और सेवा प्रदाताओं और ग्राहकों (इस मामले में सरकारी विभाग) सभी का फायदा हो सकता था।

एक राष्ट्रीय सार्वजनिक मंच ऐसा नवोत्पाद था जो सभी पहलुओं पर अच्छा था- गति, अच्छे दाम, और पारदर्शिता। अतिरिक्त लाभ थे लेन-देन की कम कीमतें और ऊपरी खर्चों का हटना। इसलिए, मान लीजिये कि केंद्र सरकार कुछ खरीदना चाहती है, जैसे बायोमेट्रिक स्कैनर या बस या चद्दर, वह ई-सुपरमार्केट जा सकती है, कीमतों की तुलना कर सकती है और आर्डर दे सकती है।

मिनिस्ट्री ऑफ इनफार्मेशन एंड टेक्नोलॉजी ने मदद की और मंच को बनाने का कार्य कुछ युवाओं को सौंपा जिनका तकनीक से वास्ता है। चुनौती थी कि एक ई-कॉमर्स साइट बनाई जाए जो यूजर फ्रेंडली हो लेकिन जो सरकार के वित्त नियमों से सुसंगत हो और जिसका आसानी से लेखा परिक्षण हो सके। कुछ मामलों में यह पारम्परिक ई-व्यवसाय से आसान था क्योंकि बीजकों का प्रबंधन और लोजिस्टिक्स सरकार का सिरदर्द नहीं थे; उसका काम सिर्फ सभी खिलाड़ियों को साथ लाने का था। उनके पास समय कम था, परन्तु उन्होंने काम पूरा करके दिया और अगस्त, 2016 तक GeM ऑनलाइन हो चुका था।

हाँ, वित्त मंत्रालय को GFR को संशोधित करना पड़ा। एक नया नियम, 141-. डाला गया ताकि आमतौर पर उपयोग की जाने वाली सेवाएं और सामान ऑनलाइन गवर्नमेंट ई-बाजार मिल सके। यह बिना किसी की अनुमति लिए, 50,000 तक की खरीद अनुमित करता था। ई-बाजार का मूल-बिंदु खरीदार और विक्रेता का कम से कम आमना-सामना करना था ताकि किसी की मनमानी न चले। GeM ने कुछ विक्रेताओं को लाभ पहुँचने की प्रक्रिया को बहुत मुश्किल कर दिया, और सभी विक्रेताओं के लिए दरवाजे खोल दिए, चाहे वह कहीं भी रहते हों।

GeM एक ऐसी दुकान है जो विक्रेताओं को सभी सरकारी विभागों तक पहुँच देता है। वह अपना सामान बेच सकते हैं, ऑनलाइन ऑर्डर्स के लिए बोली लगा सकते हैं, नए उत्पादों का सुझाव दे सकते हैं और भुगतानों का निरीक्षण कर सकते हैं। उपभोक्ताओं को यह फायदा होता है कि वह उत्पादन और कीमतों की तुलना कर सकते हैं और उन उत्पादनों को वापस कर सकते हैं जो उन्हें पसंद नहीं आते। उपभोक्ताओं के पक्ष के बोड्र्स उपलब्ध सामान और सेवाओं की जानकारी देते हैं। जो आर्डर और अनुबंध दिए जाते हैं उन्हें भी सार्वजनिक जांच के लिए खुला रखा जाता है।

8 मार्च, 2017 तक, सभी मंत्रालयों और केंद्र सरकार के विभागों के लिए आवश्यक है कि वे GeM से अपूर्तियाँ और सेवाएं प्राप्त करें, यदि वह मंच पर उपलब्ध हैं। GFR को उचित रूप से संशोधित किया गया है (नियम 149) और कहा गया है कि यदि सामान और सेवाएं मंच पर उपलब्ध हैं तो मंत्रालय और विभाग उन्हें वहीं से लें।' जो वस्तुएं GeM पर उपलब्ध नहीं हैं उन्हें रेट अनुबंध प्रणाली से ही लिया जाएगा।

विक्रेता/सेवा प्रदाता और खरीदारों को GeM पर पंजीकरण करना होता है ताकि वह उत्पादन प्रदर्शित कर सकें या उन्हें आर्डर कर सकें। विक्रेता को केवल इतना करना होता है कि वह अपना आधार, PAN और MCA 21 के विवरण देकर बिना किसी खर्चे के ऑनलाइन पंजीकरण कराए। इसी तरह भुगतान ऑनलाइन और समय-बद्ध भी होता है। ई-बिडिंग, विपरीत बोली, डिमांड एग्रीगेशन और MRR पर अनिवार्य डिस्काउंट से कीमतों पर नियंत्रण रखा जाता है। चाहे मुनाफे थोड़े हों, विक्रेताओं को जल्दी, पारदर्शी और बिना मुश्किल के भुगतान का लाभ होता है और सम्बंधित

विभाग के अधिकारियों से संपर्क स्थापित नहीं करने के अतिरिक्त लागत से भी बचते हैं।

गुणवत्ता पर नियंत्रण और सामान के जल्दी भुगतान को सुनिश्चित करने के लिए खरीदार को प्राप्त सामान की जांच करनी चाहिए और यदि कोई आपत्ति है तो उसे प्राप्ति के 48 घंटों में दर्ज होना चाहिए। यदि दस दिनों में रसीद या स्वीकृति प्रमाण-पत्र जारी नहीं होता तो भुगतान स्वत: विक्रेता के खाते में चला जाता है। इसके विपरीत, देर से डिलीवरी के लिए 0.9% का जुर्माना लगाया जाता है और 5 सप्ताह बाद आर्डर समाप्त हो जाता है। इस प्रकार मनमानी से भुगतानों को रोकने की प्रक्रिया समाप्त हो जाती है।

अब GeM अनेक उत्पादन देती है- सोखने वाली रुई से लेकर वातानुकूलन यंत्र और एयर फ्रेशनर तक, जिनकी कीमतें भी इतनी ही अलग होती हैं। विक्रेताओं को छूट है कि वह उत्पादन जोड़ दें या हटा दें, जो मांग और उपलब्धता पर निर्भर है। कीमतें बदलती रहती हैं और उत्पादन नए से नए होते हैं। एक बटन दबाते ही यातायात, पेस्ट कण्ट्रोल, सुरक्षा, सफाई और वार्षिक प्रबंधन के अनुबंध सभी प्राप्त हो जाते हैं। वर्तमान में सेवाओं के 17 वर्ग उपलब्ध हैं।

अगस्त, 2016 में इसकी शुरुआत हुई, उसी समय से खरीदार और विक्रेताओं की लाइन लगी हुई है। जून 2017 तक करीब 9,500 विक्रेता थे जो 21,000 उत्पादों को देने के साथ, 1370 सेवाएं दे रहे थे और जिनका 3633 खरीदार थे। उत्पादन और खरीदार उनके नाम के अक्षरों के अनुसार प्रदर्शित हैं। उदाहरण के लिए यदि एक विभाग को लिखने के लिए कुछ चाहिए तो वह फाउंटेन पेन में से चयन कर सकती है, जेल पेन, फाइबर के स्केच पेन, बॉलपेन और रोलर बॉल पेन, चाक और पेंसिल और साथ हो ब्रांड का चयन भी कर सकती है।

सेवा प्रदाताओं में से टैक्सी समूहक जैसे ओला और उबेर बहुत जल्दी इस क्षेत्र में आ गए। उन्होंने सितम्बर, 2016 में GeM मंच पर पंजीकरण किया और सरकारी एजेंसियों को साधारण से भी कम दरें दीं (उन्होने आवेश में आकर प्राइसिंग नहीं की) दूरी का हिसाब रखा जा सकता है और बिलिंग भी स्पष्ट रखी है, जिससे सरकारी विभागों में पारदर्शिता बढ़ी है।

आमतौर पर, GeM पर कीमतें बाजार कीमतों से 15 से 20% कम होती हैं। यह सरकार द्वारा दी गई अंतिम खरीद कीमत से भी हम होती हैं। जैसा पहले बताया जा चुका है, GeM ने हाल में एक अकेले खरीदार पर 6.6 करोड़ की बचत की। 5 राज्यों में आंगनवाड़ी कार्यकर्ताओं को स्मार्टफोन की जरुरत थी, GeM ने ऑर्डर्स इकठ्ठा किए और 54,000 इकाइयों की मांग रखी। मांग को सामूहिक बनाकर कीमतें स्वाभाविक रूप से बाजार की कीमतों से कम हो गयीं।

ऑर्डर्स और भुगतान को ऑनलाइन ट्रैक किया जाता है। सरकारी अधिकारियों को प्रशिक्षण दिया जाता है कि वह फरीदाबाद में नेशनल इंस्टिट्यूट ऑफ फाइनेंसियल मैनेजमेंट में GeM का प्रयोग करें। मूल बातों के अलावा वह फिल्टर्स से भी अवगत हो गए जिसने उन्हें अनुमति दी कि वह प्राथमिकता बाजार पहुँच से सुसंगत आईटी उत्पादकों में से चुनें और छोटे स्तर के औद्योगिक क्षेत्र से ताकि मेक इन इंडिया के नियमों का अनुपालन हो। सेवाओं के मामले में GeM द्वारा सर्विस लीगल एग्रीमेंट्स आसानी से लागू होते हैं।

अप्रैल, 2017 तक सरकार GeM के कार्य से संतुष्ट थी और उसने निर्णय लिया कि वह उसे पूर्ण रूप से राष्ट्र स्तर का एक सार्वजनिक प्राप्ति का मंच बनाएगी। केंद्रीय मंत्रिमंडल ने एक 'स्पेशल पर्पस व्हीकल' को अनुमोदन दिया जिसे GeM का नाम दिया गया, और जिसे सेक्शन-8 कंपनी के जैसे स्थापित किया गया। यह केंद्र और राज्य सरकार के विभागों और मंत्रालयों के लिए, स्वायत्र संस्थाओं और स्थानीय निकायों के लिए एक सिरे से दूसरे सिरे तक बाजार प्रदान करेगा। सरकार उम्मीद करती है कि GeM को स्वायत्र बनाकर खरीद में तेजी लाएगी, ई-बिडिंग (बोली लगाना) के मंच के रूप में काम करेगी और मांग को एकीकृत करेगी ताकि पैसों को वसूला जा सके। इसी के साथ अंग्रेजों के जमाने का एक स्तम्भ डीजीएस और डी को समाप्त कर दिया जाएगा।

सरकार ने तय किया कि वह अग्रिम डिजाइन और डेवलपमेंट प्रयत्नों के लिए और GeM के लागूकरण और रख-रखाव के लिए एक मैनेज्ड सर्विस प्रोवाइडर की नियुक्ति करेगी। माइक्रोसॉफ्ट, फ्लिपकार्ट और अमेजन इंडिया जैसी कम्पनियाँ इस होड़ में थीं कि एक अच्छा अनुबंध हो। (सेवा प्रदाता की दलाली 0.5% होने की सम्भावना है, हालाँकि सटीक आंकड़े अभी घोषित नहीं किए गए हैं।

GeM ने प्राप्ति को सुसंगत किया और अमूमन होने वाली देरी को कम किया है, साथ ही खाताकरण की सुविधा दी है। 1920 में उस समय की सरकार ने भारत में विशेष खरीद एजेंसियां स्थापित करने के बारे में सोचा था, जिसमें देशभर में निर्माण के संसाधनों के बारे में जानने की सुविधाएँ हासिल कर सक्षम रूप से भारत के विभिन्न बाजारों में खरीदी करने की मिलने वाली थी। करीब-करीब 100 वर्ष बाद GeM सरकारी विभागों को वह सभी जानकारी जो निर्मित सामान और सेवाओं को चाहिए हो सकती हैं, वह उपलब्ध करा रहा है। अक्सर कहा जाता है कि प्रशासनिक संशोधन आर्थिक संशोधनों से पीछे रह गए हैं और शासन में पारदर्शिता और सक्षमता नहीं आई है। GeM यह दर्शाता है कि तकनीक और नवीनता के प्रयोग से यह उद्देश्य हासिल किए जा सकते हैं। जिससे न केवल सरकार की काफी बचत होती है, बल्कि छोटे उद्यमी भी बड़े बाजार तक पहुँच पाने से लाभ उठा पाते हैं। और, बेहतर स्तर के इनपुट्स से बेहतर आउटपुट प्राप्त होंगे और प्रत्येक नागरिक को लाभ होगा।

सन्दर्भः

1 https/www.unndc.org/documems/brussels/UN-Convention _Against_Corruption.pdf
2. http://economictimes.indiatimes.com/news/economy/policy/gem-portal-may-generate-savings-equivalent-to-half-of-mgnrega-budget-for-2016-17/articleshow/66714611.cms
3. Pioneer Mail, 12 October 1920
4. *The Economic Times,* 24 May 2017: http://ewnomictimes.indiatimes.com/small-biz/startps/flipkart-amazon-compete-to-win-government-e-marketplace-for-crown-glory/articleshow/58814975.cms
5. Press Information Bureau, Government of India, 12 April 2017: http://pib.nic.in/newsite/PrintRelease.aspx?relid=160965
6. *The Indian Express,* 25 September 2016:http://indianexpress.com/article/business/companies/now-uber-ola-start-services-for-govt-officers-gem-3049029/

अध्याय 3

लोकतंत्र का संवाद

मन की बात

भारत में बहुत उत्कृष्ट वक्ताओं की परंपरा हमेशा से रही है। महात्मा गाँधी ने उन सभी माध्यमों का प्रयोग किया जो उनके पास उपलब्ध थे। उन्होंने किताबें लिखीं, भजन गाए, पत्रिकाओं में लेख लिखे, सभाएं सम्बोधित कीं जिनमें बहुत बड़ी तादाद में लोग उपस्थित होते थे। इतना ही नहीं अपने कार्यों से लोगों को सन्देश और सीख दी कि जो कहा जा रहा है वह किया भी जा सकता है। हमने कुछ ऐसे राजनेता भी देखें हैं जो अपने उत्कृष्ट वक्तृत्व के लिए प्रसिद्ध रहे। इनमें शामिल हैं नेताजी सुभाष चंद्र बोस, वीर सांवरकर, जयप्रकाश नारायण आदि। दक्षिण के नेताओं में से डॉक्टर अन्ना-दुराई और जगन्नाथ राव जोशी को संसद में सुनना बहुत ही आनंद देने वाली बात होती थी, और सभी सदस्य पीलू मोदी, डॉक्टर भाई महावीर और मधु लिमये जैसे वक्ताओं के भाषण बड़ी रूचि से सुनते थे।

ऐसे ही, पंडित नेहरू से लेकर इंदिरा गाँधी तक और अटल बिहारी वाजपेयी और नरेंद्र मोदी तक, भारत ने कई प्रधान मंत्री देखे हैं जिनके बात करने का और भाषण देने का अंदाज अलग ही है, लेकिन करीब-करीब सभी प्रधान मंत्री स्वतंत्रता दिवस और गणतंत्र दिवस के दिन अपनी इसी कला का प्रदर्शन करते थे। पहले प्रधान मंत्री जिन्होंने कुछ अलग करने का सोचा वह निस्संदेह नरेंद्र मोदी हैं जिन्होंने केवल वाक्पटुता से अलग जाकर रेडियो के माध्यम का उपयोग किया और अपने साथी देशवासियों से एक भावनात्मक सम्बन्ध स्थापित किया। उन्होंने रेडियो का उपयोग बहुत ही रचनात्मक तरीके से किया और 'मन की बात' को एक ऐसा कार्यक्रम बना दिया जिसका इंतजार शहरी और ग्रामीण दोनों को रहता है।

कई बार देखने में आता है कि इंटरनेट पर अनेक लोग पॉप संगीत की प्रस्तुति जैसे कार्यक्रमों के दीवाने हो जाते हैं। पहली बार ऐसा हुआ कि इंटरनेट पर लाखों लोगों ने एक ऐसे इवेंट के लिए लॉग लॉग-ऑन किया जो एक सरकारी पहल थी। प्रधानमंत्री ने 'मन की बात' कार्यक्रम में बेटियों के साथ सेल्फी लेनी की बात कही तो दुनिया भर में यह बात और इसका मुद्दा चर्चित हो गया। यह उनके "बेटी बचाओ, बेटी पढ़ाओ आंदोलन" के अभियान का भाग था। प्रधानमंत्री इसके जरिए लैंगिक समानता को वैचारिक और प्रायोगिक तौर पर स्थापित करना चाहते थे। प्रधानमंत्री ने इसका श्रेय हरियाणा के एक छोटे से गांव के सरपंच को दिया। उल्लेखनीय है कि उस गांव में लिंग अनुपात बहुत कम है।

"मैं आप सभी से निवेदन करूंगा कि आप अपनी बेटियों के साथ सेल्फी लेकर उसे सेल्फी विथ डॉटर में पोस्ट करें।" और "बेटी बचाओ, बेटी पढ़ाओ" के विषय पर एक टैग लाइन पोस्ट करना मत भूलिए। मैं वादा करता हूँ कि "जो सबसे प्रेरणास्पदक टैग लाइन होगी उसे में फिर से ट्वीट करूंगा-आपकी और आपकी बेटी की सेल्फी के साथ।" उनको बहुत अच्छा जवाब मिला। कनाडा के एक नागरिक ने लिखा कि उन्हें बेटी के साथ सेल्फी पोस्ट करने की यह सोच बहुत अच्छी लगी।

'मन की बात' सरकार और नागरिकों के बीच के दायरे को कम करने का एक नवीन तरीका है और इसीलिए 'आल इंडिया रेडियो' का सबसे चर्चित कार्यक्रम है। 'आल इंडिया रेडियो के श्रोता अनुसन्धान पक्ष' के एक सर्वे के अनुसार 15 वर्ष से ऊपर के हर 10 भारतीयों में से दो भारतीय नियमित रूप से 'मन की बात' सुनते हैं, जबकि दस में से पांच ने पिछले दो सालों में इसे कम-से-कम एक बार सुना है, जिसका मतलब है कि 271 मिलियन व्यक्ति इसे सुनते हैं, जो सारे इलेक्ट्रोनिक्स माध्यमों के श्रोताओं की संख्या के बराबर है।

यह प्रोग्राम सबसे ज्यादा गुजरात, बिहार और मध्य प्रदेश में सुना जाता है जहाँ पर कम-से-कम 70% लोगों ने इसे कम से कम एक बार सुना है। इसकी सफलता का अंदाजा इस बात से भी लगाया जा सकता है कि 'मन की बात' पर 10 सेकंड का इश्तेहार अन्य माध्यमों कें इश्तहार से 10 गुना मंहगा पड़ता है। इस प्रोग्राम को हजारों बार डाउनलोड किया जा चुका है, इससे सम्बंधित पत्र और सुझावों की संख्या अनगिनत है।

वे प्रधानमंत्री ही थे जिन्हें अगस्त 2014 में रेडियो पर एक कार्यक्रम करने का विचार आया। उन्होंने अपने साथियों को बताया कि उन्हें एक ऐसा मंच चाहिए जहाँ वह कुछ हल्की-फुल्की मन की बातें करेंगे। उन्होंने इसके लिए रेडियो का माध्यम चुना। यह अपने आप में एक महत्वपूर्ण बात है, इसलिए रेडियो गरीब से गरीब परिवार के पास भी होता है। इस तरह रेडियो की पहुँच आज भी किसी और माध्यम की तुलना में कहीं ज्यादा प्रसार और प्रभाव पैदा करने वाली है। इस कार्यक्रम में श्रोता प्रधानमंत्री से उनके शब्दों से सीधे जुड़ते हैं। इसलिए भी कि रेडियो में ध्यान भंग करने वाले चित्रों की गुंजाइश नहीं होती।

पहला एपिसोड 3 अक्टूबर, 2014 को विजयदशमी के दिन प्रसारित हुआ, ठीक गाँधी जयंती के बाद। लिहाजा; प्रधानमंत्री ने खादी पर काफी जोर दिया इससे खादी की मांग बाद के महीनों में एकदम बढ़ गयी (29% से जो अभी तक वैसे ही चली आ रही है), उन्होंने भारतीय वैज्ञानिकों की भी सराहना की कि उन्होंने मंगल (मार्स) पर मिशन भेजा और स्किल डेवलपमेंट, यानि हुनर के विकास, और स्वच्छ भारत की बात भी की। पहला एपिसोड करीब 13 मिनट तक चला, उसके बाद इसकी अवधि 30 मिनट कर दी गई। यह प्रोग्राम प्रत्येक माह के अंतिम इतवार को प्रसारित होता है।

बहुत सारे ऐसे लोग हैं जिन्होंने महान काम किए हैं लेकिन उन्हें कोई नहीं जानता, ऐसे ही अनेक साधारण लोग हैं जिन्होंने असाधारण काम किये हैं-उनमें से कई मन की बात में आ चुके हैं। उदाहरण के लिए अफरोज शाह को हैरानी होती है कि प्रधानमंत्री उन्हें जानते हैं। केवल इतना नहीं, प्रधानमंत्री ने यह सुनिश्चित किया कि पूरा देश उन्हें जाने। 28 मई, 2017 को प्रसारित कार्यक्रम में उन्होंने मुंबई के इस वकील को वर्सोवा के समुद्री तट को साफ करने के प्रयत्नों के लिए बधाई दी। अफरोज जिन्होंने अपना मिशन अक्टूबर, 2015 में शुरू किया था अपनी टीम के साथ 85 हफ्तों में वहां से 515 मिलियन किलो का कचरा निकाल चुके हैं और उनको युनाइटेड नेशंस एनवायरनमेंट प्रोग्राम की ओर से "चैंपियंस ऑफ एअर्थ" का सम्मान दिया गया। UNEP से उन्हें जो सम्मान मिला वह 'मन की बात' से हजार-गुना बढ़ गया।

प्रधानमंत्री ने कहा, "कुछ दिनों पहले, आप लोगों ने सुना होगा कि मुंबई में वर्सोवा का समुद्री तट अब बिलकुल साफ और सुन्दर दिखने लगा है, जो पहले अपनी गन्दगी के लिए जाना जाता था। यह उन लोगों की

मेहनत का नतीजा है, जिन्होंने 80-90 सप्ताह तक दिन-रात काम करके वहां से कचरा निकालकर उसे इतना सुन्दर और स्वच्छ बनाया..जिस तरीके से अफरोज शाह ने उस क्षेत्र के नागरिकों को अपने साथ लेकर इसे एक सामूहिक अभियान में बदला वह तारीफ के काबिल है और हम सबके लिए एक बहुत अच्छा उदाहरण है।

अफरोज ने ट्वीट करके प्रधान मंत्री का धन्यवाद किया और कहा कि उनकी तारीफ से वह प्रेरित हुए हैं और वह स्वच्छ समुद्र-तट का अभियान पूरे देश में लेकर जाएंगे। अब उन्होंने वर्सोवा समुद्री तट को हरा-भरा बनाने का अभियान शुरू किया है, जिसके अंतर्गत वह 400 नारियल के पेड़ लगाएंगे। विश्व पर्यावरण दिवस के मौके पर (5 जून) को अफरोज के पास बहुत सारे सन्देश आये जिनमें उन्हें बधाई दी गयी और मुंबई से स्वयं-सेवकों के फोन आए जो वर्सोवा बीच पहुंचे और उनके अभियान में अपना सहयोग दिया।

एक और ऐसी अभियान-कर्ता हैं नूरजहाँ, जो 'मन की बात' में आ चुकी हैं। उन्होंने घरों में बिजली लाने के लिए सौर ऊर्जा को बहुत प्रोत्साहन दिया है। प्रधानमंत्री ने संयोग से वह प्रोग्राम देखा जो 55 वर्ष की कानपुर की निवासी पर था। वे 500 गांवों में सौर ऊर्जा से चलने वाले लैंप को 100 रुपए प्रति महीना किराये पर देकर अपना गुजर बसर करती थीं।

25 वर्ष से विधवा और अनपढ़ का जीवन बिता रही नूरजहाँ ने अपने 7 बच्चों को अपनी छोटी सी कमाई के बल पर पाला जो उन्हें खेतों में काम करके मिलती थी। उनके गांव में बिजली नहीं थी, जिसका अर्थ था कि सूरज ढलते ही पढ़ाई-लिखाई से लेकर घर के सभी काम बंद करने पड़ते थे। मिट्टी तेल की लालटेन से आग लगने का डर रहता था। 2012 में एक एनजीओ के जरिए नूरजहाँ को सौर लालटेन की जानकारी मिली। उन्होंने इस लालटेन को बनाने के लिए महिलाओं का समूह शुरू किया और एक सौर ऊर्जा की इकाई आरंभ हो गई, जिसमें इन लालटेनों को चार्ज करने की सुविधा थी।

प्रधानमंत्री ने निश्चय किया कि उनकी उद्यमिता की चर्चा जरूर होनी चाहिए, और उन्होंने 29 नवंबर, 2015 को ऐसा किया, अपने कार्यक्रम में उन्होंने कहा: "एक महिला हैं, नूरजहाँ, जो कानपुर में रहती हैं। उन्हें टेलीविजन पर देखने के बाद ऐसा लगा कि उन्हें शिक्षा पाने का अवसर नहीं मिला, लेकिन वह ऐसा काम कर रही हैं जिसके बारे में शायद किसी

ने नहीं सोचा हो। वह सूर्य की ऊर्जा से गरीब लोगों को रोशनी प्रदान करने का काम कर रही हैं। वह अँधेरे से लड़कर रोशनी ला रही हैं। और दूसरी ओर दुनिया के बड़े-बड़े लोग जलवायु परिवर्तन के लिए क्या कर रहे हैं; शायद इन लोगों के लिए नूरजहाँ प्रेरणा का स्रोत हो सकती हैं....नूरजहाँ का अर्थ भी होता है दुनिया की रोशनी।

सौर ऊर्जा वाली इस महिला के घर पर जब मीडिया वाले लोगों और राजनीतिक लोगों का तांता लगा तो उन्होंने बताया कि प्रधानमंत्री के 'मन की बात' कार्यक्रम में अपनी सराहना सुनकर और काम करने की लगातार काम करने की प्रेरणा मिली। अब वह उम्मीद करती हैं कि वह यह कार्य बड़े स्तर पर करें क्योंकि गाँव में अभी भी बिजली नहीं है और हजारों बच्चे रात को पढ़ नहीं पाते।

पर्यावरण से सम्बंधित एक और प्रयत्न जिसने प्रधानमंत्री का ध्यान खींचा वह था किसानों द्वारा अहमदनगर, महाराष्ट्र में पानी का संरक्षण। इस छोटे से गांव ने लखपतियों के गाँव का नाम हासिल कर लिया जब पानी के संरक्षण के प्रयत्नों से खेतों का उत्पादन बढ़ा और गांव के लोग अमीर हो गए। प्रधानमंत्री ने हिवरे बाजार के बारे में एक-दो लेख पढ़े और 24 अप्रैल, 2016 की 'मन की बात' में उन्होंने कहा, "आपको ऐसे बहुत सारे गाँव मिल सकते हैं जहाँ पानी के संरक्षण की आवश्यकता है, हिवरे बाजार में किसानों ने इस मुद्दे का सामना किया क्रॉपिंग यानि, बीजारोपण के तरीके को बदलकर। उन्होंने निश्चय किया कि वह ऐसी फसल नहीं बोऐंगे जिनमें पानी की बहुत खपत होती है, जैसे गन्ना और केला। सुनने में यह बहुत आसान लगता है, लेकिन असली में यह इतना आसान नहीं है। यह बहुत बड़ा सामूहिक निर्णय है...उन्होंने फलों और सब्जियों जैसी फसलें लगाई हैं जिन्हे बहुत कम पानी चाहिए होता है। इस गांव में किसानों ने स्प्रिंकलर मशीनों का प्रयोग किया, ड्रिप इरीगेशन तकनीक का इस्तेमाल किया, पानी की सिंचाई और पानी की रिचार्जिंग की। इससे आज उनका गाँव इतना सक्षम है कि वह पानी की किसी भी समस्या से जूझ सकता है।

1990 तक पर्यावरण के खराब होने से हिवरे बाजार में केवल 12 प्रतिशत खेत कृषि के योग्य रह गए थे। पानी के सरोवर बनाकर, वन के पुनर्वास से और बोवाई के चक्र में बदलाव लाकर, गांवों ने अपने आप को पूर्ण रूप से बदला और आज वहां के कई किसान 11-12 लाख सालाना कमाते हैं

और कई परिवार जो रोजी-रोटी की तलाश में अन्य स्थानों पर चले गए थे, वापस आ गए हैं। प्रधानमंत्री इतना प्रभावित थे कि 'मन की बात' में इस गांव की चर्चा करने के अलावा उन्होंने गांव के सरपंच पोपट राव पवार को चाय पर निमंत्रण दिया। इसी कार्यक्रम में प्रधानमंत्री ने देवास, मध्य प्रदेश के किसानों को पानी रखने के ढांचों को बनाने के लिए बधाई दी।

गंगावती, कर्नाटक की दसवीं कक्षा की विद्यार्थी मल्लम्मा का भी 'मन की बात' में जिक्र हुआ। उसने अपने घर में शौचालय बनाने के लिए भूख-हड़ताल की थी। ग्राम पंचायत ने एक सप्ताह के अंदर शौचालय बनवा दिया। जूनार, महाराष्ट्र का मेहता परिवार भी बधाई का पात्र बना, जब उन्होंने शादी में आये मेहमानों को अमरुद के पौधे भेंट किये। जिन अन्य बातों का प्रधानमंत्री ने जिक्र किया, वह थीं हजारी बाघ, सवाई माधोपुर और माटुंगा और खार जैसे रेलवे स्टेशनों में स्थानीय कलाकारों द्वारा बनाये गए दीवारों पर चित्र।

यह कार्यक्रम न केवल अपनी पहुँच के लिए जाना जाता है, बल्कि इसलिए भी लोकप्रिय है कि इसमें लोगों की सहभागिता होती है। नागरिकों को प्रोत्साहित किया जाता है कि वह 'मन की बात' के लिए विषयों का सुझाव दें। अलवर राजस्थान के पवन आचार्य ने पूछा कि क्या प्रधान मंत्री देवली में मिटटी के दिए जलने की बात को प्रोत्साहन दे सकते हैं और कुम्हारों को रोजगार दिला सकते हैं। इससे पर्यावरण की भी सुरक्षा होगी। और कहने की देर नहीं थी कि प्रधानमंत्री ने 29 सितम्बर, 2015 में हुई 'मन की बात' में कहा कि, "मैं नागरिकों से निवेदन करूंगा कि वह पवन की सलाह मानें और यदि हम ऐसा करते हैं तो दीए न केवल हमारे घरों में जलेंगे, बल्कि गरीबों के घरों में भी प्रज्ज्वलित होंगे। लोगों तक अपनी बात अच्छे तरीके से पहुँचाने वाले प्रधान मंत्री ने 'मन की बात' को प्रभावी रूप से 'जन की बात' बना दिया है।

गायत्री का उदाहरण ही ले लीजिये। वह देहरादून में ग्यारहवीं कक्षा में पढ़ती हैं। उन्होंने प्रधान मंत्री को लिखा कि उनके घर के बाहर एक नदी है जिसमें लोग कूड़ा-कचड़ा डालते हैं। प्रधान मंत्री ने इसका जवाब मन की बात में दिया और कहा कि "इस छोटी सी बेटी की पीड़ा देखिए, उसे यह देखकर कितना गुस्सा आता है कि नदी में कूड़ा फेंका जा रहा है। मैं

इसे एक अच्छा संकेत मानता हूँ, मैं चाहता हूँ-कि देश के 125 करोड़ लोग गन्दगी को देखकर व्यथित हों और इसके बारे में कुछ करें।"

जनवरी, 2017 की 'मन की बात' में प्रधान मंत्री ने शिक्षा पर ध्यान दिया क्योंकि अनेक लोगों ने लिख कर पूछा था कि उनकी इस बारे में क्या सोच है। वर्तमान शिक्षा प्रणाली अंकों पर आधारित है और इससे बहुत तनाव उत्पन्न होता है और यह बहुत स्पर्धात्मक है। उनका जवाब था, 'जीवन परीक्षाओं तक सीमित नहीं है' जो बात आपके जीवन में काम आएगी वह ज्ञान है, और हैं हुनर, आत्म-विश्वास और पक्का इरादा। यदि आपका पूरा ध्यान अंक लाने पर होगा, तो आप अपने आप को सीमित करते जाएंगे और कुछ क्षेत्रों तक ही सीमित रह जाएंगे। और आप पाएंगे कि आपने इम्तिहान तो बहुत अच्छे अंकों से पास कर लिए मगर आप जीवन के इम्तिहान में फेल हो गए हैं"।

उन्होंने यह मुद्दा पहले भी उठाया था जब मई, 2016 में एक विद्यार्थी ने उन्हें लिखा था कि जब उसके बोर्ड के इम्तिहान में 89.33% नंबर आए, तो उसके परिवार वालों और दोस्तों ने उसे बधाई देने के बदले निराशा जताई थी। वे उससे और अधिक अंकों की उम्मीद कर रहे थे। प्रधानमंत्री ने उसे जवाब दिया, "गौरव, मैंने आपका पत्र बहुत ध्यान से पढ़ा है; यह दर्द केवल आपका अकेले का नहीं है, आपके जैसे लाखों करोड़ों विद्यार्थी हैं जिनका दर्द भी यही है।" उन्होंने माता-पिता से विनती की कि वे नकारात्मक न बने और अपने बच्चों को प्रेरणा और हौसला दें।

रिओ दे जनेरो में महिला धावकों का एपिसोड सबसे प्रमुख रहा, उसके बाद था पूर्व राष्ट्रपति बराक ओबामा वाला एपिसोड। सेल्फी विथ डॉटर, एग्जामिनेशन स्ट्रेस (परीक्षाओं का तनाव), विजय दिवस और प्रशासनिक संशोधन अन्य प्रमुख मुद्दे थे। फरवरी, 2016 की श्रृंखला में प्रधान मंत्री ने शतरंज के चैंपियन विश्वनाथ आनंद, क्रिकेट जगत के महारथी सचिन तेंदुलकर, वैज्ञानिक सी.एन.आर. राव और आध्यात्मिक नेता और राम कथा के मर्मज्ञ मोरारी बापू को आमंत्रित किया कि वे अपने-अपने सन्देश उन विद्यार्थियों को दें जो बोर्ड की परीक्षाओं की तैयारी कर रहे हैं। वह युवाओं को आदर्श व्यक्तियों के माध्यम से प्रेरणा देना चाहते थे।

प्रधान मंत्री की साधारण भाषा और घरेलू ज्ञान 'मन की बात' को एक

ऐसा कार्यक्रम बना देता है, जिसे सुनकर ऐसा लगता है कि आप पीपल के पेड़ के नीचे बैठकर किसी बुजुर्ग की बातें सुन रहे हैं। उनके बोलने में मित्रता छलकती है, उल्लास दिखता है और हौसला पंख पसारता है। उनकी भाषा सरल, सुबोध, बोधगम्य और संप्रेषण करने वाली भाषा है। आर.के. नारायण के प्रशंसक इस बात की कल्पना कर सकते हैं कि उनकी कहानियों के चरित्र भी इस प्रोग्राम को सुन रहे हो सकते हैं।

अमरीका के पूर्व राष्ट्रपति, रुसवेल्ट ने 1935 से 1944 के बीच आग के सामने बैठ कर प्रोग्राम किया था। उसका उद्देश्य था अपनी नीतियों के लिए समर्थन पाना। लेकिन प्रधान मंत्री सरकारी नीतियों के समर्थन के अलावा अन्य बातों से ज्यादा सम्बन्ध रखते हैं। वे मुख्य रूप से रोजमर्रा के विषयों पर बात करते हैं, जैसे शिक्षा, स्वच्छता, पर्यावरण, त्योहारों को मानना, फौजियों और शहीदों का सम्मान, संतों और दार्शनिक व्यक्तियों के ज्ञान की बातें, इत्यादि। ये सारे विषय नौजवानों को नई उमंग, तरंग से भर देते हैं। वे जीवन को जीने का तरीका सीखने लगते हैं।

प्रधानमंत्री अपने व्यक्तिगत अनुभवों को साझा करते हैं, अपनी सोच और शंकाएँ साझा करते हैं, कहानियां और किस्से बताते हैं और सलाह देते हैं। इस बात पर जोर होता है कि हम सब साथ-साथ हैं। इसमें श्रोताओं के संदेशों का सन्दर्भ भी दिया जाता है, ताकि वह अपने आपको इसका हिस्सा मानें। उनकी बातों में स्वेच्छा बहुत महत्व रखती है वे बातो-बातों में नागरिक दायित्व का महत्व समझा देते हैं लेकिन ऐसा नहीं लगता कि किसी ने आपको उपदेश दिया है। वह अपना ढिंढोरा नहीं पीटते और अपनी पार्टी के प्रचार से भी दूर रहते हैं, और बातों को राजनैतिक मोड़ नहीं देते। भारत के निर्वाचन आयोग ने 'मन की बात' के लिए कुछ निर्देश तय किये थे और अभी तक इनके उल्लंघन की कोई शिकायत नहीं आई है।

आल इंडिया रेडियो के सर्वे में बताया गया, इसके अब श्रोताओं की संख्या निरंतर बढ़ रही है। अब यह प्रोग्राम 23 भाषाओं में उपलब्ध है और डिजिटल मंचों पर भी, जैसे प्रधान मंत्री की वेब साइट, मोबाइल एप और फेसबुक, टेलीविजन, इत्यादि। दूरदर्शन समाचार मन की बात का प्रसारण सन्दर्भ के वीडियो क्लिप्स के साथ करता है। 25 दिसंबर, 2016 को प्रधानमंत्री नरेन्द्र मोदी ने अटल बिहारी वाजपेयी का उनके जन्मदिन पर सत्कार किया था।

इसे दूरदर्शन ने दिखाया। उसकी क्लिपिंग में दर्शकों को एक युवा नरेंद्र मोदी दिखाई दिए थे। वे उस समय आर.एस.एस. के कार्यकर्त्ता थे। उन्हें अटल जी गले लगा रहे थे।

कुछ मूल विषय हैं जो मन की बात में बा-बार दोहराये जाते हैं। इनमें शिक्षा, युवाओं से सम्बंधित मुद्दे, लैंगिक समानता और कौशल विकास जैसे मसले शामिल रहे हैं। इन पर प्रधानमंत्री की सोच व्यक्त होती रहती है। अर्थव्यवस्था, स्वच्छता, सफाई, कम्प्युटरीकरण, किसानों के मुद्दे, शासन और पिछड़े हुए वर्ग का सामाजिक उत्थान भी ऐसे मुद्दे हैं जिनकी चर्चा नियमित रूप से होती है। 'मन की बात' को यदि संचार और विज्ञान की दृष्टि से देखा जाए तो इसके अनेक पहलू हैं। इसके माध्यम से प्रधान मंत्री बहुत उम्दा संचारक के रूप में ही नहीं, बल्कि भावुक सुधारक और बढ़िया अभिप्रेरक के रूप में भी नजर आते हैं। शिक्षा के प्रति बहुत जोश रखने वाले, दूरदर्शी नेता के रूप में भी परिलक्षित होते हैं। सबसे बड़ी बात परिवार के मुखिया की तरह वे अच्छे काम करने वालों को सराहते और गड़बड़ करने वालों को फटकार भी लगाते हैं।

संचार-विज्ञानं के विशेषज्ञ हमेशा इस बात पर जोर देते हैं कि नागरिक कितने जानकार हैं इस बात की सूचना प्रेरणास्पद तथ्य बन जाती है। यही तथ्य स्थानीय समुदाय को जन भागीदारी के लिए प्रेरित करता है। लोकतंत्र के सम्पूर्ण विकास में नागरिकों का जानकार होना जरूरी है, इसके लिए जरूरी है कि सरकार का लोगों के साथ भावनात्मक सम्बन्ध होना चाहिए। इसलिए कोई अचम्भे की बात नहीं है कि 'मन की बात' में जरूरी जानकारी और भावनात्मक लगाव दोनों बातें हैं। इसलिए इसने लोगों का मन जीत लिया है और वह इसका बड़ी बेसब्री से इंतजार करते हैं।

यह अनुपम प्रोग्राम अभी से एक किताब का विषय बन गया है, जिसका नाम है, 'मन की बात, रेडियो पर एक सामाजिक क्रांति', जिसे 2017 में छापा गया। यह 'मन की बात' के सभी कार्यक्रमों का एक संकलन है और साथ ही प्रधानमंत्री के समकालीन मुद्दों का एक बहुमूल्य प्रलेख भी है। इसमें विश्व प्रेमी नागरिकों के कथन भी हैं, जैसे ऑन्ग सांग सू ली, शिंजो अबे और बिल गेट्स। इन सभी लोगों ने प्रधानमंत्री के 'भागीदार' होने के रवैए की सराहना की है। यहाँ तक कि प्रधानमंत्री के आलोचक जो इसे

सॉफ्ट प्रोपोगंडा या ब्रांड बनाने का जरिया बताते हैं, इस बात पर सहमत हैं कि यह कार्यक्रम बहुत लोक-प्रिय है। स्वतंत्र ऑन-लाइन मंचों पर हो रही चर्चाओं को देखते हुए जो आम धारणा है वह है कि मन की बात सकारात्मक बदलाव की दिशा में उठाया गया एक जरूरी रचनात्मक कदम है। इसकी खूबसूरती इस बात में है कि यह बहुत सरल भाषा में होता है और स्वाभाविक आवाज और अंदाज में होता है और सन्देश या बात दिल से की जाती है। हर हाल में 'मन की बात' प्रधानमंत्री मोदी का शासन विज्ञानं में सबसे महत्वपूर्ण योगदान है।

सन्दर्भ

1. *The Economic Times* Published on 13 January:http://economictimes.indiatimes.com/industry/cons-products/garments-/-textiles/zooming-sales-numbers-prove-pm-modi-is-a-worthy-khadi-icon/articleshow/56518897
2. *A Feedback Study on Mann ki baat* by Prasar Bharati 2016
3. *Mann ki Baat: A social Revolution on radio,* Bluekraft Digital Foundation 2017

अध्याय 4

भागीदारी की नई परिभाषा

माय गवर्नमेंट

शासन प्रक्रिया में नागरिकों की भागीदारी चुनाव तक सीमित नहीं होनी चाहिए। प्रधान मंत्री नरेंद्र मोदी जिस भागीदारी वाले शासन के बारे में कहते रहे हैं उसका आशय यह है कि सभी नागरिकों को नीतियां बनाने की प्रक्रिया में, प्रशासनिक नवीनताएँ लाने में और कार्यक्रमों को लागू करने में भाग लेना चाहिए। इस दृष्टिकोण को 'माय गवर्नमेंट' में बदला गया, जो एक डिजिटल तरीके का प्रोग्राम है, जो नागरिकों को संलग्न करता है। इसे 2014 में शुरू किया गया।

यह नागरिकों और सरकार के संपर्क के तरीके में एक बिलकुल नया बदलाव है और इसका मुख्य उद्देश्य है सार्वजनिक नीति के लिए क्राउड सोर्सिंग (आम जनता से पैसे इकठ्ठा करना) करना।

उदाहरण के लिए, पिछले तीन केंद्रीय और रेल बजट (जिसे अब मुख्य बजट में निगमित कर दिया गया है) पर आए सुझावों को 'डिजिटल रूप से सक्षम आम आदमी' से लिया गया है। ऐसे एक नागरिक हैं राजकरण सिंह भट्टी, जो चंडीगढ़ में रहते हैं और जिन्होंने एमबीए किया है। इन्होंने दालों के लिए एक मजबूत कोष बनाने की प्रस्तावना दी। उन्होंने सरकार का सक्रिय सहयोग माँगा, और तब तक का इंतजार नहीं किया जब तक हालात बहुत अधिक खराब नहीं हो गए। और बेशक! केंद्रीय वित्त मंत्री, अरुण जेटली ने 2016 के बजट भाषण में 900 करोड़ का कोष प्रस्तावित किया ताकि जब दालों के दाम बहुत बढ़ जाएँ तो कोष से लाभ उठाया जा सके।

भट्टी ने यह सुझाव 'माय गवर्नमेंट' के माध्यम से दिया था। उन्होंने बहुत सारे विषयों पर अनेक विचार रखे थे जिसके कारण वह और उनके जैसे कुछ

सक्रिय नागरिकों से कहा गया कि वे जुलाई 2015 में, प्रधानमंत्री के साथ आमने-सामने मुलाकात करें। भट्टी बहुत खुश हुए और उन्होंने कहा कि उन्हें ऐसा लग रहा है कि लोकतंत्र काम पर है। उन्होंने कुछ साथी नागरिकों को भी कहा कि वह हर बात की शिकायत करना बंद करें और उसके बदले समाधानों के बारे में सोचें, ताकि सरकार भारत के लोगों के लिए नीतियों को और अर्थपूर्ण बना सके।

यह सोच प्रधानमंत्री नरेंद्र मोदी द्वारा सबसे पहले 2007 में रखी गयी थी जब वह गुजरात के मुख्य मंत्री थे। उन्होंने भागीदारी वाली सरकार की सोच को ऐसे समझाया था- कि जब चरखा घूमता है तो वह नागरिकों को इस तरह संलग्न करता है कि सभी एक राष्ट्रीय कार्य में जुट जाते हैं। दिल्ली में एक प्रोग्राम में बोलते हुए उन्होंने कहा था, "मुख्य रूप से वकीलों का एक आंदोलन चरखे की शुरुआत के साथ एक जन आंदोलन बन गया। ऐसे ही, जो लोग जमीन से जुड़े हैं वे विकास की प्रक्रिया पर बहुत कम जुड़ते हैं। हमें कोई रास्ता ढूंढना है ताकि उन्हें जोड़ा जा सके।"

शायद सार्वजनिक नीति के लिए लोगों की राय जानने का प्रमुख उदाहरण प्राचीन भारत में लिच्छवी और यौधेय सभ्यताओं में और विदेशों में स्पार्टा और ग्रीस में उपलब्ध था। अब जानकारी के युग में आईए, जहाँ डिजिटल मंच नागरिकों और नीति बनाना वाले वालों को एक प्रत्यक्ष अंतरपृष्ठ प्रदान करता है। आधुनिक लोकतान्त्रिक सरकारें जैसे ब्राजील, फिनलैंड और यू.एस. ने नागरिकों के साथ शासन में नवीनता और विकास लाने के लिए वाद-विवाद और मिल-बैठकर विचार किया है। खुली-सोच की सरकार नागरिकों को एक अवसर देती है कि वह अपने सुझाव देकर, शासन की प्रक्रिया में भाग लें और नीति बनाने में पारदर्शिता लाए।

इस समय नागरिकों की भागीदारी बहुत महत्व रखती है जब लोकतंत्र में लोगों का भरोसा कई कारणों से कम हुआ है, जैसे राजनैतिक, नौकरशाह और कारोबारी लोगों की सांठ-गाँठ। लेकिन नागरिकों की भागीदारी से सरकारी संस्थाओं में भरोसा बढ़ता है, नीति बनाने की प्रक्रिया और विश्वसनीय बनती है और लागूकरण और अधिक प्रभावी होता है। जब नागरिक सक्रिय रूप से स्थिति को बदलने की कोशिश करते हैं- जैसे, 2011 की बसंत ऋतु में अरब में हुआ- तब केंद्रीय संशोधन संभव होते हैं।

इस प्रकार, 'माय गवर्नमेंट' नीतियां बनाने के पारम्परिक तरीके से काफी अलग है। यह मंच जिसे 26 जुलाई, 2014 को शुरू किया गया। यह आम आदमी को राष्ट्रीय रूचि के मुद्दों पर अपना नजरिया व्यक्त करने का अवसर देता है। यह ऐसा स्थान भी है जहाँ व्यक्ति अपने निजी विचारों को सबके सामने रख सकता है-चाहे वह कूड़े के निपटान से सम्बंधित हों या स्कूलों की कक्षाओं में अधिक रोशनी लाने के सम्बन्ध में हो। वह दुनिया भर की डिजाइन स्पर्धाओं में भाग ले सकता है, जैसे ई-ग्रीटिंग कार्ड्स बनाना, लोगोस या पोस्टर बनाना या भारतीय रेल के लिए राजस्व का ऐसा मॉडल बनाना जिसमें यात्री-किराये न बढ़ाए जाए। वह ई-बुक या ब्लॉग या कुछ और पढ़ सकता है और किसी भी चुनाव में अपनी राय दे सकता है। यहाँ तक कि वह प्रधान मंत्री मोदी को यह भी बता सकता है कि वह 'मन की बात' में जो बातें करते हैं उनसे वह सहमत क्यों नहीं हैं या उन्हें किसी विषय का सुझाव भी दे सकते हैं, जिस पर वे बोल सकते हैं।

ई-शासन की सोच ने 'डिपार्टमेंट ऑफ इलेक्ट्रॉनिक्स और इनफार्मेशन टेक्नोलॉजी', (DeitY) को यह सोचने पर मजबूर कर दिया कि वह राष्ट्रीय ई-शासन योजना बनाएं। और यह भी 2006 की बात है। विभिन्न विभागों और मंत्रालयों ने डिजिटल और सामाजिक माध्यम के मंचों से कोशिश की कि वह लोगों की प्रतिक्रियाएं लें या जानकारी इकठ्ठा करें। यह व्यक्तिगत रूप से की गई 'पहले' थीं, और विभागों के बीच कोई ताल-मेल नहीं था या कोई रण-नीति नहीं थी और इसका नतीजा कुछ नहीं निकला।

एक दशक और लग गया इससे पहले कि एक ढ़ाँचागत और केंद्रीकृत पहल हुई जिसने ज्ञान साझा करके नागरिकों की भागीदारी बढ़ायी। माय गवर्नमेंट का उद्देश्य है कि एक ही मंच पर विशेषज्ञों को लाया जाए और शासन के पारम्परिक प्रपत्रों को प्रतिस्थापित करने के बदले उनका समर्थन किया जाए।

नवंबर, 2017 तक, करीब 50 लाख दर्शकों ने माय गवर्नमेंट पर पंजीकरण करा लिया था और वेबसाइट को 15 करोड़ बार देखा गया था, और करीब 39 लाख टिप्पणियां आई थीं। 591 कार्य जिनके लिए भागीदारी का निमंत्रण दिया गया था, उनके लिए 1,99,000 प्रविष्टियां आई। सौ से अधिक चर्चा के गुट थे, 45 मंत्रालय और 661 चर्चाओं ने साइट को बहुत

सजीव बना दिया। 224 ऑनलाइन चुनावों के द्वारा सार्वजनिक राय ली गयी थी। @mygovindia के ट्विटर हैंडल पर 13 लाख ऑफलाइन फॉलोवर थे और 150 नागरिकों ने Mygov के लिए स्वेच्छाचारी रूप से अपनी सेवाएं देने की बात की।

एक अच्छा आईडिया कहीं से भी आ सकता है। 125 करोड़ की जन-संख्या के साथ भारत अपने लोगों की रचनात्मकता और कल्पना-शक्ति को अच्छी तरह टटोल सकता है। और केवल एक आवाज बड़ा बदलाव ला सकती है, इस बात को एम. कृष्णामूर्ति ने साबित किया। वह 58 वर्ष के हैं, हैदराबाद में रहते हैं और निजी क्षेत्र में काम करते हैं। उनका आईडिया था कि ग्रामीण डाक-घर भुगतान के बैंक के जैसे काम कर सकते हैं। इससे उस जगह का उपयोग होगा जो अभी बैंकों से जुड़ी कम्पनियाँ उपयोग करती हैं, और जो ग्रामीण लोगों को बेवकूफ बनाती हैं। 2016 में वित्त मंत्रालय ने यह आईडिया अपनाया, और देश-भर में 2,000 ग्रामीण डाक-घरों में बैंक के लिए एक विभाग खोला। धीरे-धीरे, यह सेवा 150,000 डाक-घरों तक ले जाई जाएगी। (भारतीय डाक भुगतान बैंक लिमिटेड को अगस्त, 2016 में निगमित किया गया)

एक अन्य आवाज थी हरी जग्गी की जो आगरा के हैं और सरकारी कर्मचारी हैं। उन्होंने यह सुझाव दिया कि उन गैर-सरकारी संस्थाओं को जो स्वच्छ भारत अभियान के अंतर्गत काम करती हैं, उन्हें जो दान दिए जाते हैं वह आयकर से मुक्त होने चाहिएं। एक अन्य प्रस्ताव जिसे स्वीकृत किया गया वह था 27 वर्षीय ऋचा अभ्यंकर का जिन्होंने सुझाव दिया कि जन-जातियों द्वारा जिन पारम्परिक चिकित्सा प्रणालियों का प्रयोग होता है, उन्हें शैक्षिक पाठ्यक्रम का हिस्सा बनाया जाए। चैन्नई में रहने वाली सुचित्रा राघवचारी का प्रस्ताव था कि 'आधार' को डिजिटल स्वास्थ्य स्मार्ट कार्ड से जोड़ा जाए ताकि कागजी काम कम हो; इसे नीति आयोग ने बिना किसी विलम्ब के स्वीकृत किया।

2017-18 के बजट में नागरिकों के ढेरों सुझावों में से कुछ हैं। एक कंप्यूटर इमरजेंसी रिस्पांस टीम फॉर फाइनेंसियल सेक्टर (CERT&fin)के माध्यम से वित्तीय लेन-देनों में साइबर सुरक्षा बढ़ाना। एक अन्य सुझाव जो अमरदीप कुमार ने दिया वह था कि राजनैतिक पार्टियों को दिया जाने वाला

दान 20,000 के बदले 2000 तक सीमित किया जाए। भारत के निर्वाचन आयोग ने ऐसा ही सुझाव दिया था और वित्त मंत्री ने इसे इस आधार पर स्वीकृत किया कि इससे राजनैतिक फंडिंग की पारदर्शिता बढ़ेगी।

वित्त मंत्रालय को भारत में अनुबंध वाली खेती करने का विचार भी पसंद आया, लेकिन कृषि राज्य का विषय है, उसे पहले एक कानून नमूने के तौर पर बनाना होगा, जिसे राज्य सरकारों को दिया जाएगा। मिधुन मधु द्वारा बताये गए स्मार्ट स्कूल एजुकेशन के मंच की सोच SWAYAM के बजट प्रस्ताव में प्रदर्शित होती है, जो एक ई-शिक्षा का मंच है। यह 350 ऑनलाइन पाठ्यक्रम प्रदान करेगा।

पिछले तीन सालों में नागरिकों के अनेक नए विचार भी अपनाए गए हैं: बैटरी से चलने वाले वाहनों के लिए 'कर' लाभ, सोने और सोने के बांड्स का मुद्रीकरण, योग के लिए विशेष प्रलोभन, संयुक्त क्षेत्र के लिए पुनः बनाया गया कर राज्य, PAN को अनिवार्य रूप से उच्च मूल्य के लेन-देनों के साथ जोड़ना, बेनामी सम्पत्तियों के लिए अलग कानून और स्वास्थ्य बीमा की प्रीमियम कटौती की सीमा बढ़ाना। ये वे सुझाव हैं जो जन-भागीदारी से हासिल हुए।

भारतीय रेलवे ने भी कई नए विचार अपनाए हैं। जैसे पूर्ण रूप से अनारक्षित ट्रेनें और इतनी अधिक भूमि जो उसके पास है उसमें हरियाली लाना। स्वच्छ रेल मिशन भी एक नागरिक की पहल से शुरू हुआ था। ट्रेनों में खाना खाने के लिए, स्वच्छ रेलवे स्टेशनों के लिए, और ऐसे ही अन्य सुधारों की पहल के लिए, मानव-रहित रेलवे फाटकों पर तेजी से पुल बनाने का काम पूरा करना जैसे सुझावों ने एक ऐसा मंच तैयार कर दिया जो तकनीकी नवीनता से ओत-प्रोत था।

यह योजना ऐसे चलती है:

नागरिक MyGov में लॉग-इन करते हैं और अपना सुझाव देते हैं। या फिर वह ऑनलाइन चर्चा में भाग ले सकते हैं जो सरकारी विभाग द्वारा शुरू की जाती है। नई दिल्ली के केंद्रीय सरकारी कार्यालय परिसर में बैठे कुछ युवा 'टेकी' (तकनीक से जुड़े लोग) नागरिकों के सभी इनपुट्स लेते हैं, जिन्हें विषय के अनुसार रखा जाता है; जिनके बारे में उन्हें लगता है कि वह काम कर सकते हैं उनकी विशेषज्ञों और स्वयं-सेवकों की मदद से सूची

बनाई जाती है और एक आईडिया की बाल्टी में रख दिया जाता है। सभी सुझावों का विश्लेषण होता है और उन्हें आगे सम्बंधित मंत्रालय को भेज दिया जाता है। यदि आईडिया को लागू करने के बारे में सोचा जाता है, तो मंत्रालय MyGov को सूचना देती है, जो योगदान करने वाले को बताते हैं।

कुछ सालों से सरकार द्वारा शुरू की जाने वाली विभिन्न योजनाओं के लिए 'एप्स' और लोगो के डिजाइन बनाने का कार्य नागरिकों को सौंपा गया है, जिससे सरकार की बहुत बचत होती है। नई शिक्षा नीति का लोगो पुणे के नेशनल एड्स अनुसंधान संस्था के एक तकनीकी अफसर द्वारा डिजाइन किया गया। नवाज शेख जो एक दिहाड़ी-मजदूर का बेटा है, कहता है कि शिक्षा सबको एक स्तर पर ला सकती है। "एक व्यक्ति कुछ भी बनने का सपना देख सकता है और वह सपना पूरा भी कर सकता है, यदि उसे उचित शिक्षा मिल जाए।"

इसी तरह, 'पीएमओ एप' जो नागरिकों को सीधा पीएमओ को अपने सुझाव देने की क्षमता देता है इसे विद्यार्थियों की एक टीम ने बनाया। टीम 'संस्कृति' जिसके प्रमुख थे 19 वर्षीय राघव साटन, जिन्होंने दिल्ली के श्री वेंकटेश्वर कॉलेज से मास्टर्स की डिग्री ली है। उन्होंने myGov में भाग लिया जिसमें एप डिजाइन करने की प्रतियोगिता रखी गई थी। उनके डिजाइन को 55,000 प्रविष्टियों में से सबसे बेहतर होने का खिताब दिया गया।

इस अप्प को अगस्त, 2016 में नई दिल्ली के इंदिरा गाँधी स्टेडियम में, प्रधान मंत्री के टाउन हॉल में शुरू किया गया। इस तिथि को MyGov के दो वर्ष पूरे हुए और नागरिक सीधे प्रधान मंत्री के साथ बात-चीत कर पाए। MyGov में प्रमुख रूप से योगदान देने वाले भी उपस्थित थे। एक साल पहले, प्रधान मंत्री 7, लोक कल्याण मार्ग में, MyGov के 17 सबसे सक्रिय सदस्यों से मिले थे- उन्हें शाकाहारी भोजन खिलाया गया था और उन्हें प्रोत्साहित किया गया था, ताकि वे नए आइडियाज और नई सोच से सदैव लबरेज बने रहें।

एक सरकारी पहल जो MyGov के साथ बहुत सटीक बैठी वह थी स्मार्ट सिटीज मिशन जिसे जून, 2015 में शुरू किया गया। इसका मकसद था कि भारत एक शहरी क्रांति के मोड़ पर है; प्रत्येक तीसरा भारतीय अब शहर में रहता है और यदि ग्रामीण क्षेत्रों से लोग ऐसे ही शहरों की तरफ

आते रहे तो 2030 तक करीब 60 करोड़ नागरिक शहरों में रह रहे होंगे। लेकिन, अलग-अलग लोगों के लिए स्मार्ट सिटी का अर्थ अलग होता है।

मूल रूप से नागरिक इस बात से सहमत हैं कि 'स्मार्ट सिटी' का अर्थ है ऐसा शहर जो अपने नागरिकों को जीवन का एक अच्छा स्तर प्रदान करे। रोजगार उपलब्ध हो, आवास की सुविधा हो, स्कूल हो, हरियाली हो, कानून और व्यवस्था हो, पार्क हों, अस्पताल हों, सड़कें हों, स्वच्छ हवा और पानी हो, बिजली हो और स्वच्छता हो। मुफ्त का वाई-फाई, अपनी परंपरा को बनाये रखने की सुविधाएँ, नागरिक-अनुसार शासन, खेल-कूद की सुविधाएँ, अनधिकृत ढांचों को हटाना और रोड पर पार्किंग की सुविधा भी शहरी लोगों के लिए प्राथमिकता की बातें हैं।

शहरी स्थानीय निकाय बड़ी मुश्किल से अपने नागरिकों को यह सेवाएं प्रदान कर पाते हैं। प्रत्येक शहर की अपनी चुनौतियाँ होती हैं, जिनका तुरंत निवारण जरूरी होता है। स्मार्ट सिटी आवास योजना मिशन और AMRUT का कुल मिलकर 98,000 करोड़ का वार्षिक बजट है और उसका उद्देश्य यही है कि शहरों को मूल रूप से एक नया रूप दिया जाए।

शहरी पुनर्वास मिशन को आगे ले जाने के लिए शहर-आधारित सम्पूर्ण योजनाएं बनानी पड़ीं। लेकिन यदि हम सोचें कि हम ऊपर से शुरू करके नीचे स्तर तक जाएंगे और किसी काम को करेंगे तो यह तरीका सबके हित में नहीं होता। होता यह है कि विशेषज्ञ 'बनावट' का मुद्दा अपने हाथों में ले लेते हैं और शहरी विकास का क्या रूप होगा और क्या प्राथमिकताएं होंगी यह वे अकेले ही तय करते हैं। क्योंकि नागरिकों को इन सब के बारे में अधिक ज्ञान नहीं होता, वह अंतिम चरण में ही तस्वीर में आते हैं, जब उनसे उनकी राय ली जाती है। प्रोजेक्ट के डिजाइन और खर्चों की प्राथमिकता को देखते हुए, कई बार उनकी कोई भूमिका नहीं होती।

जब उपभोक्ताओं की जरूरतों को ध्यान में रखे बिना योजनाओं को क्रियान्वित किया जाता है तो उनका कोई फायदा नहीं होता। लोगों के साथ अच्छे सम्बन्ध नहीं होने से क्रियान्वयन भी ठीक ढंग से नहीं हो पाता और लोगों में स्वामित्व की भावना नहीं आती और न ही वे सार्वजनिक परिसम्पत्तियों के लिए अपने आप को जिम्मेदार मानते हैं।

इसके अलावा, शहरों में आबादि अधिक होने से हर बात पर सहमति

होना मुश्किल बात होती है। उदाहरण के लिए, बच्चों को खेलने के लिए जगह चाहिए होती है और बड़ी उम्र के लोगों को लिए टहलने के लिए पार्क चाहिए होते हैं-अधिकांश मामलों में एक ही पार्क इन दोनों की जरूरतें पूरी करता है, क्योंकि इतनी जगह नहीं होती कि दो अलग-अलग पार्क बनाये जाएँ।

शहरी विकास मंत्रालय ने इस बात को समझा कि यदि नागरिकों को उन जरूरी योजनाओं की पहचान करने का अवसर दिया जाये जिनसे उनका रोज का जीवन प्रभावित होता है तो ऐसी योजनाएं ठीक तरह से लागू हो पाएंगी और लम्बे समय तक चलेंगी और नागरिक अपने आप को इनके लिए जिम्मेदार भी समझेंगे। उचित रूप से खर्च भी होगा और इसके नतीजे लोगों की जरूरतों के अनुसार होंगे। इसलिए मंत्रालय ने निर्णय लिया कि लोगों से एक सरल प्रश्न पूछा जाए। आप किस प्रकार के शहर में रहना चाहेंगे?

स्मार्ट सिटी बनाने में एक चुनौती पैदा हुई जो MyGov द्वारा उठाई गयी अभी तक की सबसे बड़ी चुनौती है वह है, शहरी योजना की दिशा में। इससे सोच में एक नई तबदीली आई है। पूरे देश में लोगों से पूछा गया कि वह अपने शहर से क्या उम्मीदें रखते हैं और इससे भी ज्यादा जरूरी कि 'वह इस योजना को सफल बनाने में क्या योगदान दे सकते हैं?' करीब 98 शहरों से 1.5 करोड़ लोगों के विचार लिए गए ताकि उनके शहरों का विकास किया जा सके। एक तरफ नागरिकों को अवसर दिया गया कि वे अपने शहरों को बनाने में योगदान दें और दूसरी तरफ जनोन्मुखी योजनाएं तैयार की गई।

प्रत्येक शहर ने लोगों को साथ लेने के लिए अपनी स्वयं की नीति बनाई। मंत्रालय ने एक ढांचा बनाया। ऑनलाइन मंच और सामाजिक मीडिया के मंच जैसे MyGov और फेसबुक, ट्विटटर, इंस्टाग्राम और व्हाट्सएप की सहायता ली गई। नागरिकों की ओर उन्मुख कार्यशालाएं भी आयोजित की गयीं। इस तरह से प्राप्त सुझाव प्रत्येक शहर के लिए कुछ नया लिए हुए थे।

इस पूरे अभियान को तीन चरणों में पूरा किया गया। पहले चरण में मूल बातों पर ध्यान दिया गया। नागरिकों को इस सोच से वाकिफ कराया गया और उन्हें आमंत्रित किया गया कि वह राज्य के शहरी विकास मंत्रियों शहर के कमिश्नर और अन्य प्रमुख अंश धारकों के माध्यम से हिस्सेदारी करें।

'मेरे सपनों का शहर' जैसे विषयों पर स्पर्धाएं आयोजित की गई ताकि शहर के लिए एक नई सोच और उद्देश्य तय किये जाएँ। इन बातों को प्राथमिकता दी गई कि शहर के लिए स्मार्ट हल जिनसे शहर की अवसंरचना और सेवाओं को बेहतर कैसे बनाया जाये और उन्हें MyGov पर इन चर्चाओं के लिए शार्ट लिस्ट किया गया (अलग-सूची में रखा गया)।

पहले चरण में 20 शहरों को चुना गया। 'ब्लूमबर्ग पहिलांथ्रोपिएस और नेशनल इंस्टिट्यूट ऑफ अर्बन अफेयर्स' ने एक संकलन निकाला जिसका नाम है 'सिटीजन इंगेजमेंट इन थे स्मार्ट सिटीज चैलेंज: स्टोरीज फ्रॉम थे फर्स्ट 20 विनिंग एंट्रीज।' इसमें नागरिकों के संलग्न होने की प्रक्रिया, उसके नतीजे और उसके प्रभाव के बारे में लिखा गया है। दूसरे चरण में ड्राफ्ट बनाने का काम था और क्षेत्र-विशेष प्रस्तावों को लोगों के समक्ष रखना और उनकी प्रतिक्रियाएँ लेना। तीसरे चरण में इन प्रतिक्रियाओं के आधार पर स्मार्ट सिटी प्रस्ताव बनाया जाता था। इसमें वितीय सम्बंधित फैसले और क्रियान्वयन शामिल था। इस स्मार्ट सिटी के प्रस्ताव का आंकलन करने में दस फीसदी तवज्जो इन बातों को दी जाती थी कि कितनी तन्मयता से राज्य सरकारें नागरिकों के साथ संलग्न हो रही हैं, कितने अंशधारक योजना में शामिल हो रहे हैं और शहर के लिए दिए जा रहे अंतिम प्लान में किस खूबसूरती से नए विचारों और प्राथमिकताओं का मेल किया गया था।

हम इस बात पर एक नजर डालते हैं कि शहरों ने नागरिकों के साथ संलग्न होने के क्या तरीके अपनाए:

- सबसे आम तरीका था कि शहरों ने कार्यशालाएं आयोजित कीं, चर्चाएं की, सूचना-पत्र छापे, FM रेडियो और स्थानीय केबल चैनल्स का प्रयोग किया, नुक्कड़-नाटक किए, लम्बी दौड़ों का आयोजन किया या संगीत के कार्यक्रम रखे, 'शुक्रवार-विशेष' दिन रखे और मोबाइल एप पर आधारित सर्वेक्षण किए।
- पुणे और शोलापुर में गणेश चतुर्थी के दौरान गणेश मंडलों की सहायता ली गई ताकि आइडियाज को लोगों से वित्तीय समर्थन मिल सके। पुणे में एक 'डिजिटल हैकथॉन' और 'एप्पथॉन' भी आयोजित किया गया और एक हस्ताक्षर अभियान भी हुआ जिसमें 3,00,000 नागरिकों ने वचन दिया कि वह पुणे के SCP को समर्थन देंगे और

लक्षित क्षेत्र के करीब 8000 परिवारों ने प्रस्ताव को अपना प्रत्यक्ष समर्थन दिया।

- सूरत में तकनीकी मेले आयोजित किए गए जिसमें स्मार्ट सिटी के विभिन्न हल दिखाए गए जिससे जागरूकता पैदा हो।
- बेलगावी ने एक "स्मार्ट बेलगावी" एप तैयार किया ताकि लोगों तक बात पहुँच सके।
- भोपाल ने स्मार्ट हलों के लिए 175 पुरस्कार देने की घोषणा की।
- भुबनेश्वर ने बाल परोपकार संस्थाओं के साथ जुड़कर, बच्चों को "हमारा बचपन अभियान" के माध्यम से जोड़ना चाहा- एक ऐसा आईडिया जिसे बाद में राष्ट्रीय-स्तर पर अपनाया गया। सामाजिक और आर्थिक रूप से पिछड़े हुए समुदायों के करीब 15,000 बच्चों ने इसमें भाग लिया- बच्चों की 40 प्रयोगशालाओं में जिनमें बच्चों की भलाई के पहलुओं को पहचाना और समझा गया- जैसे खुले स्थान, चपलता, स्वच्छता और बचपन की सेवाएं।
- काकीनाडा ने ब्रेल के माध्यम से दृष्टि से कमजोर बच्चों को खूब लुभाया।

चर्चाओं, मतदान, ब्लॉग्स और चर्चाओं के माध्यम से 'MyGov' मंच में ही करीब 25 लाख लोगों ने स्मार्ट सिटी चेलेंज में भाग लिया, और करीब 17 लाख लोग सोशल मीडिया और अन्य माध्यमों, जैसे स्थानीय रेडियो, ई-मेल, कार्यशालाओं, आदि से इससे जुड़े। 16 लाख से अधिक सुझाव आए। इसने साबित किया कि उपभोक्ता के रूप में नागरिक ही अपनी प्राथमिकता को अच्छी तरह पहचान सकते हैं और सार्वजनिक संपत्ति के लम्बे समय के रख-रखाव के कार्य में महत्वपूर्ण भूमिका निभा सकते हैं।

आम आदमी को नीति की प्रक्रिया में संलग्न करना हमारे इतिहास की धरोहर है। बस फर्क इतना है कि डिजिटल मंचों ने इस सम्बन्ध को और गहरा कर दिया है और इसका दायरा बढ़ा दिया है, क्योंकि सहभागिता का खर्च अब कम हो गया है। पारम्परिक तरीकों से लोगों के विचार जानना, जैसे, नमूना सर्वेक्षण, अब बहुत पुराने हो गए हैं और बेकार भी। वैसे इसे हम कई पूर्व-चुनावी सर्वेक्षणों में देख चुके हैं। क्राउड सोर्सिंग और MyGov जैसे मंच नीति बनाने को एक कानूनी वैधता प्रदान करते हैं, और साथ ही

भारत की इतनी बड़ी जन-संख्या के कौशल और प्रतिभा का लाभ उठाते हैं। यह ई-शासन की ओर एक सकारात्मक कदम है।

संदर्भ

1. http:/Indianexpress.com/article/india-others/daily-wagers-son-stamps-his-logo-on-new-education-policy/ (Published on 2 februray 2015)
2. http://www./livemint.com/Politics qkFGyrb1VBHrulyRxcJ30M/Meet-the-six-students-who-developed-the-PMO-app-html (Published on 10 august 2016)
3. http/economictimes.lndiatimes.com/news/politics-and-nation/10-ideas-from-citizens-made-it-to-the-budget-2016-this-year/articleshow/51232532.cms(Published on 3 May2016)
4. http://indiatoday.intoday.in/story/narendra-modi-policy-my-government-bjp/1/592977.html(Published on 11 February2016)
5. http://indiatoday.intoda.jn/story/narendra-modi-meets-social-influencers-contribution-to-mygov.in-portal/1/450624.html (Puhlished on 11 My 2015)

अध्याय 5

कर्म की कुशलता ही योग!

अंतरराष्ट्रीय योग दिवस

यदि भारत में कोई ऐसा व्यक्ति है जो देशवासियों की आकांक्षाओं को मूर्त रूप दे सकता है तो वह हैं भारत के प्रधान मंत्री, नरेंद्र मोदी। वे भारत के पहले प्रधानमंत्री हैं जो स्वतंत्र भारत में पैदा हुए और पहले ऐसे प्रधानमंत्री जिन्होंने आधुनिक विश्व की प्रौद्योगिकी को अपनाया, इंटरनेट और सोशल मीडिया की शक्ति का फायदा न केवल राजनीति के लिए, बल्कि एक अच्छा सामाजिक बदलाव लाने के लिए उठाया। हालाँकि वह आधुनिकता के प्रति समर्पित हैं, उन्होंने अपने अलग अंदाज से भारत की समृद्ध और पुरानी परंपरा की अच्छी बातें अपने शासन में निगमित की हैं। इस बात का इससे बड़ा प्रतीक और नहीं हो सकता कि उन्होंने न केवल भारत में 'योग' को नीति का एक हिस्सा बनाया है, बल्कि पूरे विश्व को इससे राजी कर उसे इसमें हिस्सेदारी करने के लिए प्रेरित भी किया।

अंतरराष्ट्रीय योग दिवस की सोच सबसे पहले प्रधानमंत्री, मोदी ने युनाइटेड नेशंस जनरल असेंबली में 27 सितम्बर, 2014 को अपने भाषण में व्यक्त की थी। UNGA को दिए गए अपने पहले भाषण में उन्होंने पूरे विश्व का ध्यान भारत की समृद्ध सभ्यता की ओर खींचा था और योग के सिद्धांतों के बारे में बताया था, जैसे, संधारणीय खपत, पर्यावरण के प्रति संवेदनशीलता, और मन और शरीर के बीच ताल-मेल। उनके अनुसार यही वह रास्ता है जो एक संधारणीय दुनिया स्थापित कर सकता है। उनके प्रस्ताव के बाद चर्चाओं को एक भारतीय प्रतिनिधि मंडल द्वारा आगे बढ़ाया गया।

भारत ने प्रस्ताव का ड्राफ्ट UNGA में दिसंबर, 2014 में रखा। जनरल असेंबली के लिए यह ऐतिहासिक क्षण था, क्योंकि ड्राफ्ट को सभी सदस्य

देशों द्वारा भारी समर्थन प्राप्त हुआ। इसे 175 देशों ने अपना समर्थन दिया, जो इतिहास में सबसे बड़ा समर्थन था और उसे प्रस्तावित रखे जाने के तीन महीनों से भी कम अवधि में, पहली बार 11 दिसंबर को पारित किया गया। UNGA के 69 वें सत्र ने 21 जून को अंतरराष्ट्रीय योग दिवस के रूप में घोषित किया। यह दिन इसलिए चुना गया, क्योंकि यह ग्रीष्म संक्राति का दिन होता है और दुनिया के कई भागों में इसका विशेष महत्व होता है। यह उत्तरी गोलार्द्ध में सबसे लम्बा दिन होता है और दक्षिणी गोलार्द्ध में सबसे छोटा दिन। भारतीय दृष्टिकोण से यह समय बदलाव का समय होता है, जो 'योग' और 'ध्यान' के लिए अच्छा समय होता है।

अंतरराष्ट्रीय योग दिवस रखने का उद्देश्य दुनिया-भर में योग अभ्यास करने के फायदों के बारे में जागरूकता पैदा करना था। सभी राष्ट्रों ने यह बात मानी कि योग को प्रचलित करने से विश्व को स्वास्थ्य के उद्देश्य पाने में सहायता मिलेगी। और इसका प्रभाव 'विश्व स्वास्थ्य और विदेश नीति' के अंतर्गत पारित किया गया।

करोड़ों लोगों ने 21 जून, 2015 को पहला अंतरराष्ट्रीय योग दिवस मनाया। भारत में आयुष मंत्रालय (आयुर्वेद, योग और नेचुरोपैथी, यूनानी, सिद्ध और होमियोपैथी) ने राजपथ पर सभी आयोजन पूरे किए। प्रधानमंत्री ने अपने अंदाज में इसकी अगुआई की और 35,985 योग करने वाले लोगों के अग्रणी बने। इनमें 84 देशों के प्रतिनिधि भी शामिल हुए। उन्होंने 35 मिनट तक कई आसन किए। इस घटना को विश्व-भर में सुर्खियों में छापा गया और इसने 2 विश्व गिनीज रिकॉर्ड भी बनाये। 35,985 लोगों का ये रिकॉर्ड योग के अब तक के सबसे बड़े एकल प्रदर्शन का था- जिनमें चौरासी देशों के विभिन्न मत रखने वे लोग शामिल थे- जिन्होंने न्यूयॉर्क के टाइम्स स्क्वायर, लंदन में टेम्स के किनारे और पेरिस में एफिल टॉवर के नीचे सटीक रूप से योग किया।

युनाइटेड नेशंस के तत्कालीन महा सचिव, 'बन की मून' ने कहा था, "जैसे हम आज यह अंतरराष्ट्रीय योग दिवस मना रहे हैं, चलिए हम प्रधानमंत्री मोदी के शब्दों को याद करते हैं, जिन्होंने हमें बताया कि, "योग केवल व्यायाम नहीं है, यह एक प्रणाली है, जिससे हम अपने आप की पहचान

करते हैं, दुनिया की पहचान करते हैं और प्रकृति की पहचान करते हैं।" मेरा मानना है कि योग से लोगों को बुद्धि मिलेगी और वह समझ पाएंगे कि हम सबको साथ में मिलकर रहना चाहिए और सबके जीवन में मान-मर्यादा और इज्जत होनी चाहिए।

बाद में, 2016 और 2017 में भी योग दिवस मनाये गए। 2017 में फिर से गिनीज रिकॉर्ड टूटा जब बी.जे.पी. के अध्यक्ष, अमित शाह ने अहमदाबाद में 3 लाख योग करने वाले लोगों की अगुवाई की, इसने एक स्थान पर इकठ्ठा होने वाले सबसे अधिक भागीदारों का रिकॉर्ड बनाया।

इसमें कोई शक नहीं कि योग भारत का सबसे बड़ा सभ्यता निर्यातक तत्व है। कई लोग मानते हैं कि प्रधान मंत्री मोदी इससे भारत की सॉफ्ट पावर (कोमल-शक्ति) का लाभ उठा रहे हैं। स्वामी विवेकानंद ने योग को उन्नीसवीं सदी के अंत में पश्चिम में शुरू किया था और उसके बाद भारतीय गुरुओं का एक तांता सा लग गया था, जिन्होंने पूरे विश्व में योग का प्रचलन किया। एक सर्वे के अनुसार जिसे योग अलायन्स और योग जर्नल ने किया, 2016 में केवल अमरीका में ही करीब 3 करोड़ 70 लाख लोग योग का अभ्यास करते हैं (इनमें से अधिकांश महिलाएं हैं)। एक दिलचस्प बात जो सामने आयी वह थी कि इनमें से तीन-चौथाई लोगों को योग करते हुए 5 साल से भी कम समय हुआ। जाहिर है कि योग में उनकी दिलचस्पी हाल में ही बढ़ी है। इससे यह दिखता है कि प्रधानमंत्री मोदी ने एक 'मास्टर स्ट्रोक' से योग को अंतरराष्ट्रीय स्तर पर न केवल प्रस्थापित किया, बल्कि इससे पूरे विश्व में भारत का सम्मान भी बढ़ गया।

प्रधानमंत्री ने बताया कि योग उनके लिए क्या महत्व रखता है, "एक योगी वह होता है जो अपने शरीर, अपने वातावरण और प्रकृति के साथ ताल-मेल में रहता है, और यह ताल-मेल योग करने से स्थापित होता है। उपनिषद् से यह सोच आयी है कि लगातार अभ्यास से उसके शरीर और उसकी इन्द्रियों पर नियंत्रण कर योग मनुष्य की सोच को बदल सकता है। यह हमारा शरीर ही है जो हमें उस परमात्मा के दर्शन करा सकता है.. इसलिए योग मनुष्य जाति के सुखमय भविष्य का रास्ता है...कई बार लोग सोचते हैं कि योग केवल कुछ अभ्यासों की श्रृंखला है। योग अनुशासन और ध्यान का एक सिद्धांत है जो आपकी आत्मा में अच्छा बदलाव लाता

है और आपको एक बेहतर मनुष्य बनाता है, जिससे सोच, कार्य, ज्ञान और भक्ति विकसित होते हैं।

अंतरराष्ट्रीय योग दिवस का प्रभाव इस बात से दिखता है कि 2014-16 के बीच योग शिक्षकों के प्रशिक्षण प्रोग्राम्स में पंजीकरण बहुत तेजी से बढ़ा, जो इस बात का नतीजा था कि योग सीखने वालों की संख्या में 65 प्रतिशत की वृद्धि हुई। 2015 में, 2.12 लाख लोगों ने CCRYN (योग अनुसन्धान के लिए केंद्रीय योग परिषद्) द्वारा आयोजित योग प्रशिक्षण में भाग लिया। 2016 में यह संख्या बढ़कर 6.20 लाख हो गई थी।

राज्य, जिला, ब्लॉक और पंचायत स्तर पर योग दिवस की गूंज को देखते हुए, आयुष मंत्रालय को प्रोत्साहन मिला कि वह लोगों की इस रुचि को योग आधारित रोग के प्रतिरोधी अभियान में परिवर्तित करे। पूरे विश्व में वैज्ञानिक पत्रिकाओं में छापे गए अनुसन्धान की समीक्षा यह बात दर्शाती है कि नियमित रूप से योग करने से रक्त-चाप कम होता है और मधुमेह (यानि 'ब्लड शुगर' को भी नियंत्रित किया जा सकता है), हमेशा रहने वाले कमर के दर्द में राहत मिलती है। तनाव और विषाद कम होता है, थकान कम होती है और कैंसर के मानसिक और शारीरिक प्रभावों से लड़ने की शक्ति आती है और आप की सोच सकारात्मक बनती है। आयुष ने 2016 के बाद 'डायबिटीज के लिए योग' शुरू किया था, ताकि योग के लाभों के बारे में जानें और उनकी रुचि उसमें जाग्रत हो।

योग के लाभ दूरगामी होते हैं और इससे आपका स्वास्थ्य बेहतर होता है और आप अच्छा महसूस करते हैं, परन्तु इन बातों को तुरंत मापने का कोई तरीका नहीं होता। इसी तरह स्वास्थ्य पर खर्च कम होता है और आप पर्यावरण से सुसंगत होते हैं, लेकिन इन बातों को सांख्यिकी के अनुसार परिभाषित नहीं कर सकते। लेकिन गुणवत्ता के अनुसार पूरा प्रभाव होता है, चाहे वह व्यक्तिगत रूप से हो या बड़े स्तर पर। जैसा कि प्रधानमंत्री ने कहा, "दुनिया का पर्यावरण मनुष्य के लोभ और लालच से खतरे में है। योग हमें उपभोग करने का वह तरीका बताता है जो स्वस्थ है, संतुलित है और प्रकृति से सुसंगत है। यदि हम चाहते हैं कि भविष्य की पीढ़ियों के लिए एक रहने लायक दुनिया छोड़ें तो हमें एक ऐसी पीढ़ी को जन्म देना होगा जो इन सिद्धांतों के अनुसार अपना जीवन जिए।" यह एक ऐसे नेता के

शब्द हैं, जिसका ध्यान भविष्य पर है परन्तु जिसके पास अतीत का विवेक और ज्ञान भी है।

संदर्भ

1. htts:// www.forbes.com/sites/alicegwalton/2016/03/15/how-yoga-is-spresding-in-the-u-s/#6ae3d46c449f (Published on 15 March 2016)
2. http://indianexpress.com/article/india/international-yoga-day-2017-lakhs-stretch-and-twist-pm-rl\0di-cxmls-yoga-cannect-all-th:t-hax-happened-mday-4715558/ (Published on 21 June 2017)
3. http://www.india.com/news/india/itenational-yoga-day-2017-Iist-of-22-world-records-set-at-yoga-event-in-ahmedabad-2256231/(Published on 21June2017)
4. http://www.firrstpost.com/india/international-yoga-day-baba-ramdev-claims-world-record-after-3-lakh-perform-yoga-at-one-placeA 3730477. html (Published on 11 June 2017)
5. https://timesofindia.indiatimes.com/life-style/health-fitness/know-the-history-behind-international-yoga-day/articlehow/59232368.cms (Published on 21 June 2017)

अध्याय 6

मकसद दिलों को एक करना

एक भारत, श्रेष्ठ भारत

कुछ साल पहले, ऐसी घटनाएं जैसे मणिपुरी की लड़की के साथ दुर्व्यवहार होना या....युवा को नेपाली कहना और उसे गाली देना, बहुत बड़ी खबरें बन जाती थीं और लोगों को तकलीफ पहुँचती थी और वे परेशान होते थे। हालाँकि ऐसी घटनाएं हमारे उत्तर-पूर्व के भाई-बहनों के साथ अधिक होती है, लेकिन वह उस क्षेत्र तक सीमित नहीं हैं। यह भेद-भाव और अज्ञानता हमें सम्पूर्ण भारत में देखने को मिलेगी। उत्तर के लोग, दक्षिण भारतीयों के खाने का मजाक बनाते हैं, जबकि बंगाली और असम के लोगों को उनके उच्चारण के लिए हंसी का पात्र बनाया जाता है। अंडमान और निकोबार द्वीप, लक्षद्वीप और पांडिचेरी के बारे में अज्ञानता भी विद्यमान है, और यह तथ्य है कि आज भी कई प्रोफेसर और पत्रकार, और यहाँ तक कि सरकारी अधिकारियों को पता ही नहीं कि कोहिमा और एजॉल जैसी जगह भी भारत में हैं।

भारत का अनोखा अनुपम राजनैतिक लोकतंत्र अलग-अलग जीवन शैलियों, भाषाओं और कला को स्वतंत्रता के अभियान और महात्मा गाँधी की सीखों की बदौलत एक एकीकृत राष्ट्रीय पहचान देता है। इस प्रकार भारतीय राज्यों की जातीय मजबूतियों ने एकता में अनेकता बनाये रखी है। लेकिन केवल ऐसे नारे लगाने से कि भारत की खासियत उसकी एकता में अनेकता में है, काम नहीं चलेगा। इसके दो मुख्य कारण हैं। पहला यह कि हम जो विविधता देखते हैं उसका मूल तो यह है कि वह एकता के अलग-अलग रूप हैं; लोग ऐसा समझते हैं कि 'एकता' केवल इसलिए संभव है, क्योंकि अनेकता है। दूसरी बात यह है कि देश में जो विविधता

है, उसे सभी लोगों को पहचानना चाहिए तभी उसे सम्मान प्राप्त होगा। प्रधानमंत्री, मोदी ने बड़े रचनात्मक रूप से बने एक कार्यक्रम की शुरुआत की जिसका नाम है 'एक भारत, श्रेष्ठ भारत'। इस कार्यक्रम का उद्देश्य और इसकी बनावट इसे बहुत नवीन, अभ्यासिक और उद्देश्यपूर्ण माध्यम बनाते हैं ताकि वाकई में 'एकता में अनेकता' नजर आए और उसे महसूस किया जा सके।

पंडित दीनदयाल जैसे लोग, जो संयुक्त ढांचे के स्थान पर एकीकृत ढांचा पसंद करते थे, उनका कहना था कि भारत की विविधता और उसकी अखंडता अलग-अलग बातें नहीं हैं। "विविधता में एकता और अनेकता में एकता' भारतीय सभ्यता का एक मुख्य आधार है"। लेकिन दीनदयाल उपाध्याय की सोच को समझने के लिए जिस बात की जरुरत है वह है कि एक ऐसा ढांचा कैसे बनाया जाए जो भारत की इतनी सारी भाषाओं, परम्पराओं, वेश-भूषाओं, भोजन और अलग-अलग सभ्यताओं को वह सम्मान और पहचान दिला सके जिसके वह हकदार हैं।

बढ़ती हुई चपलता ने इन फर्कों और विविधताओं को आमने-सामने लेकर खड़ा कर दिया है। यातायात की बढ़ती हुई सुविधाओं ने भौगोलिक दूरियां बहुत कम कर दी हैं और जब लोग एक राज्य से दूसरे राज्य में जाते हैं वह अपने साथ अपनी सभ्यता भी लेकर जाते हैं। जिन्हें हम आमतौर पर अलग-अलग क्षेत्रों के बीच सभ्यताओं का आदान-प्रदान कहते हैं। यह आपसी समझ के लिए महत्वपूर्ण है। और यही सुनिश्चित करता है कि कोई भी नागरिक अपने आप को अलग-थलग महसूस न करे।

यह सोच कि अलग-अलग क्षेत्रों के नागरिकों के बीच एक संधारणीय और सही ताल-मेल होना चाहिए, प्रधान मंत्री नरेंद्र मोदी ने एक भाषण में सामने रखी थी जब वह 31 अक्टूबर, 2015 को सरदार वल्लभभाई पटेल के जन्म के 100 सालों के उपलक्ष्य में, 'राष्ट्रीय एकता दिवस' पर बोल रहे थे। जब सरदार पटेल 1947 से 1949 के बीच भारत के गृह मंत्री थे तब उन्हें भारत का 'बिस्मार्क' भी कहा जाता था। उन्होंने 550 राजाओं और उनके राज्यों को एक राष्ट्र में बुना था। पश्चिम के लोगों की उम्मीद थी कि स्वतंत्रता के बाद भारत की अखंडता बनी रहनी मुश्किल होगी, सच साबित नहीं हुई, क्योंकि भारत की विविधता का समर्थन उसकी मजबूत

अखंडता कर रही थी। सात दशकों के बाद अब और भी जरूरी हो गया है कि विश्व को यह सन्देश भेजा जाए कि भारत एक एकीकृत संगठन है जिसे भौगोलिक और राजनीतिक प्रभाव तोड़ने वाली शक्तियों से कमजोर नहीं किया जा सकता।

'राष्ट्रीय एकता दिवस' जिसे 2014 में शुरू किया गया अपने आप में एक नवीनता है जो हमारे देश की अखंडता और एकता को भावी खतरों से बचाने के लिए सशक्त करेगा और राष्ट्र को मजबूत बनाने के लिए एक एकीकृत रवैया अपनाएगा। सोच यह है कि 'सहयोगी संयुक्तता' को प्रोत्साहन दिया जाए और राज्यों के बीच एक परस्पर-निर्भरता स्थापित हो। पिछड़े हुए और विकसित राज्य और इनके भीतर भी अलग-अलग क्षेत्र, उद्यमता और विकास के लिए बाधाएं साबित होते हैं। अन्तर्राज्यीय यात्राओं को बढ़ावा देना और कारोबार के दृष्टिकोण यह सोच को हटाना भी जरूरी है कि कोई विशेष क्षेत्र पिछड़ा हुआ है। अन्तर्राज्यीय व्यापार से हमारी अर्थव्यवस्था मजबूत होती है, और साथ ही आपसी स्वामित्व का भाव बढ़ता है। भारत सामान और सेवा कर और ई-नाम के आने के बाद, अभी से एक एकीकृत बाजार की ओर जा रहा है।

'एक भारत, श्रेष्ठ भारत' की संकल्पना को समझाते हुए, प्रधानमंत्री ने कहा कि, "हो सकता है कि 2016 में हरियाणा राज्य यह सोचे कि वह तमिलनाडु के साथ जुड़ना चाहता है और उसकी गतिविधियों की सूची में शामिल हो। तमिलनाडु की संपन्न सभ्यता को हरियाणा में प्रचलित करना-गाने और संगीत, किताब-उत्सव, खाने के मेले और अन्य तरीकों से किया जा सकता है। और तमिलनाडु भी कुछ ऐसा ही कर सकता है। और इसी तरह वह 2017 में किसी दूसरे राज्य के साथ परंपरा और सभ्यता का आदान-प्रदान कर सकता है और किसी दूसरे वर्ष में किसी और राज्य से।

एक वर्ष के लिए भारत के सभी 29 राज्यों और केंद्र-शासित प्रदेशों को एक न एक राज्य के साथ जोड़ा गया था। उदाहरण के लिए, 2017 में आंध्र प्रदेश को पंजाब के साथ जोड़ा गया है। इस वर्ष, इस प्रोग्राम के अंतर्गत जितनी भी गतिविधियां हैं, उन्हें तीन श्रेणियों के अंतर्गत डाला गया है। पहले हैं, कला और संस्कृति सम्बन्धी गतिविधियां, दूसरी हैं शैक्षिक और ज्ञान सम्बन्धी और तीसरी हैं शासन से संबंधित गतिविधियां।

इन आदान-प्रदानों के अलावा, भारत की ज्ञान की पारम्परिक प्रणालियाँ भी साझा की जा सकती हैं। उदाहरण के लिए ओडिशा के किसान कृषि की अपनी पारम्परिक प्रणालियाँ महाराष्ट्र के साथ साझा कर सकते हैं। इनमें शामिल हो सकते हैं फसल की कटाई और सूखे से बचना, बीजों का विकास, मृदा को उपजाऊ बनाना, पशु-पालन, फसलों की सुरक्षा और कटाई के बाद का प्रबंधन। क्षेत्रों के बीच आइडियाज के आदान-प्रदान से किसान आजकल की चुनौतियों का सामना कर पाएंगे, जैसे, पानी कम मिलने का तनाव, मृदा की कटाई और जलवायु परिवर्तन।

जोड़े गए राज्यों से उम्मीद है कि वह मिलजुलकर सांस्कृतिक प्रोग्रामों का आयोजन करेंगे, एक-दूसरे के साहित्य का अनुवाद करेंगे, पर्यटकों का आदान-प्रदान, खाने के उत्सव और अन्य गतिविधियों का आयोजन। उम्मीद है कि आंध्र प्रदेश से एक गुट को भांगड़ा सिखाया जाएगा जबकि पंजाब के नर्तकों को कुचिपुड़ी करना सिखाया जाएगा। पंजाबी के चुने गए साहित्य का तेलुगू में अनुवाद होगा और इसका विपरीत भी। पंजाब के विद्यार्थी आंध्र प्रदेश में ट्रैकिंग के लिए जाएंगे और आंध्र प्रदेश के पंजाब जाएंगे। आंध्र प्रदेश के होटलों में शामिल हैं पुलिहोरा, पेसरट्टु और पुंगुलु जबकि पंजाब के होटलों में छोले-भठूरे, मक्की की रोटी और बटर चिकन दिया जाएगा।

सांस्कृतिक आदान-प्रदान पहले भी हुए हैं, लेकिन यह प्रयत्न थोड़े समय के लिए होते थे और राज्यों के विभागों के बीच होते थे। एक संस्थागत और सरकार-नियोजित धारणा जो इतने बड़े स्तर पर हो रही है, यह एक अनूठी पहल है।

ऐसे सांस्कृतिक आदान-प्रदान करना आसान बात नहीं है। राज्य सरकारों को इसके लिए पूर्ण रूप से प्रतिबद्ध होना पड़ेगा। इसलिए यह तय किया गया कि सम्बंधित राज्य सरकारों के मुख्य प्रतिनिधि आपस में दो या तीन दिनों के लिए आपसी मेल-मिलाप करेंगे। वह एक-दूसरे के सबसे अच्छे अभ्यास और सीख साझा करेंगे।

दोनों भागीदार वाले राज्यों के स्थापना दिवस को मेलों और अन्य गतिविधियों के साथ मनाया जाएगा और इन्हें सम्बंधित राजधानियों में रखा जाएगा। उदाहरण के लिए, नवंबर को जयपुर केरल का स्थापना दिवस मनाने

के लिए एक कार्यक्रम का आयोजन करेगा और 30 मार्च को तिरुअनंतपुरम राजस्थान का स्थापना दिवस मनाएगा। चोटी के संवैधानिक अधिकारी (राज्यपाल, मुख्य-मंत्री, राज्य के न्यायाधीश और मुख्य सचिव प्रमुख राष्ट्रीय और अंतरराष्ट्रीय अवसरों पर एक दूसरे से मिलने जाएंगे।)

सभी राज्य 'दिल्ली हाट' की तरह कला और संस्कृति के क्षेत्र बनाएंगे और अपने राज्य की सबसे बेहतरीन कलाकृतियां, पर्यटन के स्थान, खाने-पीने के पदार्थों आदि का प्रदर्शन करेंगे। उदाहरण के लिए, तिरुअनंतपुरम में राजस्थान की प्रदर्शनी लगाई जाएगी और जयपुर में केरल की प्रदर्शनी। सोच के पीछे उद्देश्य यह है कि लोगों को अन्य राज्यों की संस्कृति को महसूस करने और उससे एकाकार होने का अवसर मिल सके।

इसलिए कि प्रोग्राम मुख्य रूप से युवाओं पर केंद्रित है, बेहतर होगा कि विश्वविद्यालयों के बीच सम्बन्ध स्थापित किया जाए ताकि उद्देश्य जल्दी प्राप्त होगा। इसके लिए भाग ले रहे राज्यों के बीच अनुसन्धान की योजनाओं का प्रस्ताव रखा गया था। राज्य विश्वविद्यालयों के विभिन्न विभागों के पास विकल्प था कि वह अपने सम्बन्धी राज्य के साथ मेल कर सकें। इस सब में विद्यार्थियों का आपसी मेल-जोल भी एक महत्वपूर्ण पहलू था।

इसके लिए यह माना गया कि लोगों के बीच भी एक मेल-मिलाप जरूरी है और इसके लिए MyGov की वेबसाइट पर लोगों से सुझाव मांगे गए कि कैसे सांस्कृतिक विविधता और राष्ट्रीय एकता के विषय को प्राप्त किया जा सकता है। हजारों भारतीयों ने अपने विचार साझा किये और करीब 50,000 आईडिया निकल कर आए, जिनमें शामिल थे- एक दूसरे के त्यौहार मानना और समर्पित मंचों के द्वारा और फेसबुक पन्नों के माध्यम से वेब कनेक्ट स्थापित करना।

MyGov ने 'एक भारत श्रेष्ठ भारत' प्रोग्राम की मेजबानी भी की, और उसके लिए प्रस्ताव आमंत्रित किए जिसके लिए उसे 5,400 से अधिक प्रविष्टियां मिलीं। इनमें से कुछ नवीन सोच थीं

1) लम्बी दूरी की रेलगाड़ी एक भागीदार राज्य से दूसरे राज्य में जाएँगी, उनमें एक भारत स्टोर का होगा जो उस राज्य की पारम्परिक वस्तुएं बेचेगा जहाँ से रेल शुरू होती है;
2) बच्चों की पार्टियां जो भागीदार राज्य की परंपरा को दर्शाती हो;

3) घरेलू और विदेशी पर्यटकों के लिए रहने और खाने के लिए एक मोबाइल एप

4) संगीत के मिले-जुले कार्यक्रम; और

5) भागीदार राज्यों की बीच सभाओं के मिले-जुले सत्र।

तीन चरण के न्यायाधीशों ने तीन विजेता चुने: 29 वर्षीय अनिकेत चौधरी जो जम्मू और कश्मीर से थे, दूसरे नंबर पर पुणे के शशि कुमार कुलकर्णी और तीसरे नंबर पर नई दिल्ली के तुषार खत्री। चौधरी प्रधानमंत्री के ग्रामीण विकास फेलो शिप प्रोग्राम के अंतर्गत काम करते हैं, उन्होंने यह सुझाव दिया कि पांचवी क्लास से लेकर स्कूलों की किताबों में ऐसे अध्याय होने चाहिएं जो भागीदार राज्य के बारे में बताएं। और राज्य के जाने-माने व्यक्तियों के बारे में भी विस्तार से जानकारी दें। कथाओं की स्पर्धाओं को पाठ्यक्रम का हिस्सा बनाया जाना चाहिए ताकि अन्तर्राज्यीय पर्यटन बढ़े; उन्होंने प्रस्ताव दिया कि भागीदारी के राज्य में कम पैसों में यात्राएं अनुमित होनी चाहिए और राज्यों को रहने और खाने के इंतजाम करने चाहिएं। हालाँकि यह आईडिया पहली बार प्रधानमंत्री मोदी ने 2015 में रखा था और नागरिकों के सुझावों का आना 2016 में शुरू हुआ, 'एक भारत, श्रेष्ठ भारत' अभियान की शुरुआत सही माने में 2017 में हुई। और जहाँ तक मिली-जुली गतिविधियां लागू करने की बात है, यह उम्मीद है कि कुछ सालों बाद बच्चों में अन्य राज्यों के बारे में एक गर्व की भावना प्रसारित की जा सकेगी, 20 राज्यों और केंद्र शासित प्रदेशों ने समझौता-ज्ञापन पर हस्ताक्षर कर दिए हैं और कार्य-योजनाएं बना रहे हैं।

इन सब बातों में कई संभावनाएं शामिल होती हैं, जैसे, दिलों का मिलना और भावनाओं का जुड़ना। ऐसा नहीं होना चाहिए कि जितने समय आप स्कूल में पढ़े, आप यह प्रण लेते रहें कि आप राष्ट्रीय एकता में सहायक होंगे, और स्कूल छोड़ने के बाद अपनी विविधतता का सम्मान भी न करें। एक राष्ट्र या समाज की एकता एक ऐसी सोच या परिकल्पना है जिससे हमारी भावनाएं जुड़ी होती हैं। अच्छे पड़ोसियों के जैसे रहना जरूरी है, लेकिन इसके लिए बहुत गहरी समझ चाहिए, जो अनुभव से ही संभव है। हम यह कैसे भूल सकते हैं कि भारत की महानता इसी बात में है कि वह 'एक' है।

संदर्भ

1. http://www.narendramodLin/ek-bharar-shreshtha-bharat-annuncement-of-winner-412620 (Published on 4 February 2016)
2. http://economictimes.Indiatimes.com/news/politics-and-nation/prime-mimsier-rural-development.fellow.in.jammu.kashmir.wins.ek.bharat.contest/articleshow/50655556.cms (Published 0114 February 2016)

अध्याय 7

नए भारत की नई संस्थाएं

नीति आयोग

15 अगस्त, 2014 को अपने पहले स्वतंत्रता दिवस भाषण में प्रधानमंत्री नरेंद्र मोदी ने अपनी इच्छा शक्ति का प्रदर्शन करते हुए कहा कि 64 साल पुरानी संस्था योजना आयोग करदाताओं पर एक बोझ है, इसलिए सरकार इसे बर्खास्त कर देगी। साढ़े चार महीने बाद, 1 जनवरी, 2015 को उन्होंने एक नई संस्था की स्थापना की जिसका उद्देश्य था समग्र रूप से नवीनता लाना। नेशनल इंस्टिट्यूट फॉर ट्रांसफॉर्मिंग इंडिया, यानि नीति आयोग, योजना आयोग के वारिस के रूप में बनाई गई। लेकिन इसकी भूमिका देश की राजनैतिक अर्थव्यवस्था में नई पहल करने की सोची गई। यह अब तक के कामकाज से इतर एक नया और मुकम्मिल विचार था।

योजना आयोग की समाप्ति के बाद, भारतीय अर्थव्यवस्था ने आखिरकार स्वतंत्रता के बाद सामाजिक अर्थव्यवस्था की नीति का अनुपालन करने के लिए अपना पुराना, सामाजिक ढांचा उखाड़ फेंका, जिसे 1950 में स्थापित किया गया था। 1991 के संशोधनों के बाद इसका उद्देश्य समाप्त हो गया था। लेकिन, बाद की कोई भी सरकार इतनी हिम्मत नहीं जुटा पाई कि वह इस संस्था को समाप्त कर दे। योजना आयोग 5-वर्षीय योजनाएं बनाती रही-जिसका तथाकथित उद्देश्य भारत की अर्थव्यवस्था का मार्गदर्शन करना था, हालाँकि 1991 के बाद अधिकांश क्षेत्रों में, विशेषकर उद्योग में सरकार की भूमिका कम होती चली गई।

अतीत से जुड़ाव बनाए रखते हुए अर्थव्यवस्था में सरकार की भूमिका का दिनोंदिन घटते जाना यह कतही साबित नहीं कर पा रहा था कि देश की नीति किसी नए और सुखद मुकाम की तरफ बढ़ रही हैं। 2014 तक,

योजना आयोग के समर्थकों का मानना था कि वे नई दिल्ली में बैठे-बैठे सरकार के संसाधनों को पर्याप्त तरीके से राज्यों को आबंटित कर सकते हैं। यह आचरण हर राज्य को बिना उसकी वस्तुगत चिंताओं के मद्देनजर एक ही डंडे से हांकने का काम कर रहा था। एक सी योजनाएं सभी राज्यों में एक साथ लागू कर दी जातीं।

आर्थिक उदारीकरण ने निजी क्षेत्र को यह अधिकार दे दिया था कि वह बिना सरकारी हस्तक्षेप के यह निर्णय ले कि उसे किस चीज का उत्पादन करना है, कितना उत्पादन करना है और उसके लिए कितनी कीमतें लेनी हैं। लेकिन, भारत के राज्यों के पास पर्याप्त स्वायत्तता नहीं थी कि वह अपने खर्चों को ठीक से प्राथमिकता दें। और इससे भी बदतर यह था कि उन्हें वार्षिक रूप से नई दिल्ली के योजना भवन में अपनी उपस्थिति देनी होती थी, ताकि वे अपने लिए अपेक्षित वित्तीय संसाधन जुटा सकें। केवल राज्य नहीं थे जिनके ऊपर योजना आयोग का जरुरत से ज्यादा प्रभाव था, केंद्रीय सरकार के मंत्रालय भी उसके निर्देशों का पालन करने को मजबूर हो जाते थे।

स्पष्ट था कि एक संस्था जिसने सोवियत यूनियन और अन्य साम्यवादी देशों से प्रेरणा ली थी जब वह 1950 के दशक में अपने चरम पर थे, अब कोई महत्व नहीं रखती थी। प्रधान मंत्री, मोदी ने एक ही झटके में सूखी हुई लकड़ी को पेड़ से अलग कर दिया। और, रचनात्मकता दिखाते हुए उन्होंने नीति आयोग की स्थापना की ताकि पुराने ढांचे को बदल कर उसमें आवश्यकतानुसार तबदीली की जा सके।

नई संस्था को दोहरी भूमिका सौंपी गई। वह सरकार के लिए केवल थिंक-टैंक का काम नहीं करेगी, बल्कि सरकार के लिए एक ऐसा मंच भी बनेगी जो सृजनात्मक रूप से भारत के 29 राज्यों के साथ ताल-मेल बनाएगी और बराबरी की भागीदारी स्थापित करेगी।

नीति आयोग की स्थापना करते समय प्रधान मंत्री, मोदी के दिमाग में न्यूनतम प्रशासन का सिद्धांत सर्वोपरि था। योजना आयोग से अलग नीति आयोग के पास कोई शक्ति नहीं होगी कि वह वित्तीय संसाधनों का आबंटन करे। संयोग की बात है कि नीति आयोग की स्थापना के साथ ही सरकार ने 14 वें वित्तीय आयोग की संस्तुतियों को स्वीकार किया जिससे यह सुनिश्चित हुआ कि राज्यों को जो 32 प्रतिशत 'कर' मिल रहे थे वह अब 42 प्रतिशत

हो जाएंगे, और केंद्र का हिस्सा 62 फीसदी से 52 फीसदी हो जाएगा। यह अतिरिक्त कर और योजना आयोग की समाप्ति केंद्र सरकार का एक संकेत था कि वह प्रशासन में अपनी भूमिका कम कर रही है और राज्यों को अधिक कार्यकारी और वित्तीय स्वायत्तता दे रही है और इस प्रकार राज्यों की राजधानियों को अधिक से अधिक शासन का अवसर देना चाहती है, जो अपने नागरिकों से दिल्ली में बैठी सरकार की तुलना में अधिक करीब होते हैं।

नीति आयोग एक नई संयुक्तता का प्रतीक भी होगी जिसके दो भाग होंगे: सहायक और स्पर्धात्मक संयुक्तता। सहायक संयुक्तता की जरुरत होगी कि नीति बनाने की प्रक्रिया में केंद्र और राज्य बराबर के भागीदार हों। पहली बार राज्यों को केंद्र सरकार द्वारा बनाई जा रही नीतियों में महत्व दिया जाएगा। नीति आयोग में मुख्य-मंत्रियों के तीन उप-समूह बनाए गए-तीन महत्वपूर्ण विषयों पर: केंद्र द्वारा संयोजित योजनाएं जिन्हें पारम्परिक तौर पर राज्य ऐसा मानते हैं कि वह उनकी वित्तीय स्वायत्तता कम कर रहे हैं और उनके कोई नतीजे नहीं हो रहे; दूसरा है स्वच्छ भारत योजना जो ऐसी योजना है जिसका सुझाव स्वयं प्रधान मंत्री मोदी का था और तीसरा है कौशल विकास। यह एक और क्षेत्र है जिसे प्रधान मंत्री ने प्राथमिकता दी। इन सभी क्षेत्रों में मुख्य मंत्रियों के उप-समूहों ने महत्वपूर्ण संस्तुतियां कीं जिन्हें केंद्रीय सरकार ने स्वीकारा। उदाहरण के लिए स्वच्छ भारत का 'उपकर' भी इन समूहों का मौलिक विचार था। इसी तरह, केंद्र द्वारा संयोजित योजनाओं का 60:40 के अनुपात में बंटवारा (उत्तर-पूर्वी और पहाड़ी राज्यों में यह अनुपात 90:10 का है) और इन योजनाओं की संख्या में कमी-यह भी इन समूहों का ही आईडिया था। बाद में मुख्य मंत्रियों के उप-समूह बनाये गए ताकि नोटबंदी के बाद वह डिजिटल लेन-देनों के विभिन्न पहलुओं का आंकलन कर सकें। पहली बार मुख्य मंत्रियों का केंद्र सरकार की नीतियां के सम्बन्ध में कुछ योगदान था जो संयुक्तता की ओर एक बड़ा कदम है।

सहायक संयुक्तता की इस भावना से सरकार भारत की करीकरण प्रणाली में मौलिक बदलाव ला पाई वह था 'सामान और सेवा कर' की शुरुआत। यह प्रस्ताव एक लम्बे समय से विचार किया जा रहा था, लेकिन इसे राज्य

सरकारों की स्वीकृति चाहिए थी। प्रधान मंत्री, मोदी की सरकार ने राज्यों के साथ एक सहायक रवैय्या अपनाया, जोर-जबरदस्ती का नहीं। GST परिषद् जो इससे सम्बंधित सभी निर्णय लेती है (जिसमें शामिल है कर की दरें) केंद्र और राज्यों की स्वीकृति भी चाहती है। कोई भी एक पक्ष दूसरे पक्ष पर हावी नहीं हो सकता। विशेष रूप से भारत की अर्थव्यवस्था को GST से जो लाभ मिलेंगे और राज्यों और केंद्र के बीच सहयोगी रवैय्ये से, वह बहुत अधिक होने की उम्मीद है।

यह संयुक्तता सहायक रवैय्ये पर समाप्त नहीं होती। इतना ही जरूरी है स्पर्धात्मकता का अंग, जिससे प्रत्येक राज्य को यह प्रोत्साहन मिलता है कि वह शासन के स्तरों को ऊँचा करे। इसमें नीति आयोग की बड़ी भूमिका है। इससे यह सुनिश्चित होता है कि सभी राज्य निवेश आकर्षित करने की होड़ में अपना स्तर नीचे न गिराएं, बल्कि मुख्य संकेतों में सुधार लाकर उसे बढ़ाएं, जैसे कारोबार करने की आसानी, शिक्षा के नतीजों में सुधार, आदि। नीति आयोग को यह कार्य भी सौंपा गया है कि वह राज्यों को इनमें से कुछ मानदंडों पर वरीयता प्रदान करे।

प्रत्येक वर्ष यह वरीयता आये हुए बदलाव को मापति है ताकि वह प्रदेश जो ऐतिहासिक रूप से पिछड़े हुए हैं अपने आप को ठहराव की अवस्था में न लाएं और लगातार प्रयत्न करते रहें।

इसका आधार यह है कि भारत तभी बदल सकता है जब उसके सभी राज्यों, विशेषकर जो सुदूर होने के कारण इस प्रकार पिछड़ गए हैं, उनकी प्रगति में तेजी ला सकते हैं। इन रैंकिंग के माध्यम से राज्यों के प्रदर्शन के सार्वजनिक मूल्यांकन की एक प्रणाली से चुनावी बदलावों को लागू करने या जोखिम को लागू करने के लिए राज्य सरकारों पर सकारात्मक प्रभाव पड़ने की उम्मीद है।

भारत के परिवर्तन को एक सामूहिक प्रयास की आवश्यकता है। केंद्र और सभी राज्यों द्वारा केंद्रीय योजना की एक प्रक्रिया के माध्यम से नई दिल्ली से इसे प्राप्त नहीं किया जा सकता है। प्रधानमंत्री मोदी कार्रवाई पर विश्वास रखते हैं। नीति आयोग शासन प्रणाली में एक गहरे बदलाव का प्रतिनिधित्व करता है।

संदर्भ

1. http://www.narendramodi.in/text—of-pms-speech-at-red-fort-6464
2. http://niti.gov.in/content/cabinet-resolution
3. http://niti.gov.in/content/functions
4. http://nitigov.in/content/niti-aayog-one-year
5. http://indianexprers.eom/article/opinion/columns/the-centre-state-mindset/
6. https://economictimes.indiatimes.com/opinion/interviews/niti-aayog-is-now-up-running-arvind-panagariya-outgoing-vice-chairman /articleshow /59976122.cms

अध्याय 8

ऋण का भुगतान

विदेशी भारतीयों का दान करने का भाव अपने देश को दी गयी वित्तीय सहायता में व्यक्त होता है। इनमें से बहुत ऐसे होते हैं जो दान के माध्यम से अपने देश, राज्य या घरेलू निवास-स्थान का भला देखना चाहते हैं, लेकिन उन्हें नहीं पता होता कि वह किस प्रक्रिया से अपना योगदान दें। वैसे तो कोई भी एजेंसी फंड्स इकठ्ठा कर सकती है, परन्तु चुनौती इस बात की होती है कि यह दान प्रभावी और पार-दर्शी रूप से किया जाए और दान करने वाले संतुष्ट हों। विदेशी भारतीयों का 'इंडिया डेवलपमेंट फाउंडेशन' 2016 से इस कार्य में सहायता कर रहा है और उसने एक ऐसा नवीन तरीका निकला है कि विदेशी भारतीय अपने देश से बड़े गहरे और अर्थपूर्ण ढंग से जुड़ सकते हैं।

भलाई करना भारतीयों की सभ्यता का अभिन्न अंग रहा है और सामाजिक सुरक्षा प्रदान करना केवल सरकार की जिम्मेदारी नहीं मानी जाती। पारम्परिक तौर पर अमीर व्यक्ति हमेशा से सामाजिक कार्य करते आ रहे हैं जो प्रदर्शित होता है सिंचाई के कामों में, अवसंरचना में, यात्रियों के लिए रहने के ठिकाने बनवाने में और गाय-आदि के लिए सुरक्षित स्थान बनवाने में। पुराने जमाने में गरीब व्यक्ति भी अपने भोजन और कपड़ों को अपने से कम समृद्ध लोगों के साथ खुशी-खुशी बांटते थे। लेकिन आजकल के जमाने में किसी की भलाई करना चुनौतियों से भरा काम है। केवल चेक काट देना तो सरल बात है, परन्तु यह सुनिश्चित करना कि प्रत्येक रूपया उस जरूरतमंद के पास पहुँच रहा है, जिसे उसकी जरुरत है, बहुत मुश्किल काम है। इसलिए दान देने वालों को यह देखना जरूरी हो जाता है कि वह सही स्थान पर दान कर रहे हैं या नहीं।

उन विदेशी भारतीयों के लिए जो अपने देश में दान करना चाहते हैं, यह बहुत ही मुश्किल काम है और कई एजेंसियां फण्ड मांगने का काम करती हैं। इन विदेशी भारतीयों की संख्या को लगभग दो करोड़ माना जाता है और इनमें वह व्यक्ति शामिल हैं जो इस बात के लिए उत्सुक रहते हैं कि उनके गाँव या उनके शहर की स्थिति बेहतर बने या वह सरकार द्वारा चलाये जा रहे विभिन्न सामाजिक कार्यक्रमों में अपनी सहायता दे सकें। विदेशी भारतीयों का इंडिया डेवलपमेंट फाउंडेशन इसमें उनकी सहायता करता है और उन्हें अवसर देता है कि वह भारत के 'समान विकास' में अपना योगदान दे सकें और अपनी जड़ों से यथायोग्य संबंध स्थापित कर सकें।

एक ऐसे ही विदेशी भारतीय हैं 10 वर्षीय प्रणव शिवकुमार। वह दुबई के इंडियन इंटरनेशनल स्कूल के छात्र हैं और इन्होने विदेशी भारतीयों के इंडिया डेवलपमेंट फण्ड के सौजन्य से शैक्षिक उत्कृष्टता के लिए शेख हमदान सम्मान जीता था और वह उसमें मिली धन-राशि को स्वच्छ भारत अभियान में दान करना चाहते थे। अक्टूबर 2016 में उन्होंने भारत की विदेशी मामलों की केंद्रीय मंत्री, सुषमा स्वराज को बड़े गर्व से 50,000 रुपयों की धन-राशि प्रदान की और उनके शब्दों में, "हालाँकि मैं दुबई में जन्मा और पला-बढ़ा हूँ, मैं अपने देश भारत से बहुत प्यार करता हूँ। मैं स्वच्छ भारत अभियान का हिस्सा बनना चाहता हूँ। मैं अपने प्रधानमंत्री श्री नरेंद्र मोदी को नमस्कार करता हूँ जिन्होंने इस अभियान को प्रोत्साहन दिया है।

एक और सदाशयी, सत्यनारायण गुंडा, चाहते थे की वह उस गाँव को 20 लाख रुपयों का योगदान दें जहाँ वह पले और बड़े हुए। 45 साल पहले वह आंध्र प्रदेश के एंडालपल्ले के सूर्यपेट जिले को छोड़कर अमेरीका चले गए थे। अब शिकागो में रह रहे गुंडा ने निर्णय लिया कि वह अपने देश को कुछ देना चाहते हैं। वह आई डी एफ ओ आई के पास गए जिसने उन्हें सुझाव दिया कि वह एक स्वास्थ्य उप-केंद्र में निवेश करें। आई डी एफ ओ आई यह सुनिश्चित करता है की उसके सभी दाता ऐसे नतीजे देख पाएं जिनसे उन्हें पता चले कि उनका पैसा सही तरीके और सही कार्य के लिए उपयोग किया जा रहा है। पारदर्शिता, कड़ी निगरानी और दाताओं की पहचान आई डी एफ ओ आई के लिए सबसे महत्वपूर्ण बातें हैं। गुंडा कहते हैं कि, "मैंने पहले सोचा था कि मैं अपने गाँव तेलंगाना के लिए

कुछ करूँ और मैंने निर्णय लिया कि मैं आई डी एफ ओ आई के माध्यम से ऐसा करूंगा क्योंकि वह उद्यम को लागू करने के बाद यह भी देखते हैं कि उसमें कितना विकास हुआ।

हालाँकि आई डी एफ ओ आई को 2008 में गैर-मुनाफे के ट्रस्ट के रूप में खोला गया था और वह 2011 में चलना शुरू हुआ, 2016 तक भी उसमें कोई विशेष कार्य नहीं हुआ था। 2015 में की गई एक समीक्षा में पता चला कि लोगों की इसमें दिलचस्पी पैदा नहीं हुई थी और यह ज्यादा फंड्स आकर्षित नहीं कर पाया था। इसलिए इसमें छोटे-छोटे परन्तु महत्वपूर्ण बदलाव लाए गए ताकि इसका राज्य सरकारों से प्रत्यक्ष मेल-मिलाप हो और योजनाओं का क्रियान्यवन किया जा सके। मुख्य बात थी ऐसी परिसम्पत्तियों को बनाना जिससे स्पष्ट नतीजे प्राप्त किये जा सकें। और साथ ही, इसमें एक बड़ा विदेशी निवेश भी डाला गया।

इसका प्रभाव बहुत तेज हुआ। एक वर्ष में (2016-17) में 7 लाख के वार्षिक औसत से आई डी एफ ओ आई में 10 करोड़ के विदेशी फण्ड आकर्षित हुए। यह इसलिए हुआ क्योंकि दान करने वालों से कहा गया कि वह निम्न में से किसी भी तीन तरीकों से दान करें: 1) वर्तमान में चल रही शिक्षा, स्वछता, स्वास्थ्य और महिला और बाल विकास योजनाओं में योगदान देकर, या महत्वपूर्ण योजनाओं में योगदान देकर, जैसे स्वच्छ भारत या नमामि गंगे, 2) किसी भी गाँव, नगर या राज्य के किसी विशेष प्रोग्राम में योगदान देकर, जिसे उनके अनुसार बनाया जा सके और 3) एक सामूहिक कोष में योगदान देकर जिसका कोई विशेष उद्देश्य न हो।

विदेशी दाताओं में 'स्वच्छ भारत' ऐसा अभियान है जिसमें सभी ने दिलचस्पी दिखाई है और इसमें करीब आधा योगदान विदेशियों का है। इसके बाद आता है नमामि गंगे कार्यक्रम। अन्य दान मुख्य रूप से राज्यों के सम्बन्ध में हैं। वह सार्वजनिक कोष जो ऑनलाइन प्रणाली है और जिसे जुलाई 2016 में शुरू किया गया था, उसमें अभी महत्वपूर्ण दान नहीं हुए हैं लेकिन फिर भी उसमें उससे अधिक फण्ड प्राप्त हुए हैं जितने 2011-16 के बीच हुए थे।

कमल जैन, जो सिंगापुर में रहने वाले प्रवासी भारतीय हैं उन्होंने बताया कि उन्होंने अपना योगदान क्यों दिया, "मैं श्री मोदी के उस भाषण से

बहुत प्रभावित हुआ, जो उन्होंने सिंगापुर में पिछली बार दिया था और उनकी 'पहलों' से भी, जैसे, 'स्वच्छ भारत' और 'नमामि गंगे'। हम में से अधिकांश वेतन भोगी लोग हैं फिर भी हमारी सरकार से कुछ पाने की आकांक्षा नहीं है। मैं और मेरे 12 प्रवासी मित्र बहुत खुश हैं कि हम भारत को स्वच्छ रखने के लिए 10 लाख का दान कर रहे हैं। हमें गर्व है की हम अपने जन्म के देश से जुड़े हुए हैं और वह भी इतनी महत्वपूर्ण योजना में योगदान देकर।"

अगस्त 2017 तक, 13 देशों से 120 से अधिक दान करने वाले सामने आये और युनाइटेड अरब एमिरेट्स से सबसे अधिक दान प्राप्त हुआ-करीब आधे फंड्स - जिसका मुख्य कारण था एक इवेंट जिसका आयोजन दुबई में किया गया था। अमेरीका, कनाडा और हांगकांग से भी काफी योगदान प्राप्त हुए। 'आई डी एफ ओ आई', 'एफ सी आर ए' संस्था के नियंत्रणों से मुक्त है, जो दस्तावेजों के काम से निपटती है।

आई डी एफ ओ आई का एक न्यासी मंडल है और इसकी अध्यक्षता विदेश मंत्री करते हैं। सचिव (विदेशी भारतीय मामले) ट्रस्ट के पदेन उपाध्यक्ष होते हैं। बोर्ड में 13 अन्य ट्रस्टी होते हैं जिन्हें सरकार नामांकित करती है, जिनमें से चार विदेश में रहने वाले और जाने-माने व्यक्ति होते हैं, चार वह होते हैं जो सक्रिय रूप से भारत में परोपकार के काम कर रहे होते हैं, तीन गृह मंत्रालय, विदेशी मामलों के मंत्रालय, वित्त मंत्रालय आदि के प्रतिनिधि होते हैं और एक नीति आयोग का व्यक्ति होता है.आई डी एफ ओ आई का सी ई ओ बोर्ड का सदस्य-सचिव होता है।

ट्रस्ट को अपने कारकारी खर्चों और प्रशासनिक खर्चों के लिए सरकार की ओर से सहायता अनुदान मिलता है। इसलिए वह विदेशी भारतीयों से मिले हुए योगदानों से कोई भी अधिभार नहीं काटता। सारे फण्ड प्रोग्रामों या योजनाओं में लगा दिए जाते हैं; इसकी तुलना में यदि हम देखें तो अधिकांश एन जी ओ अपने फंड्स का महत्वपूर्ण भाग प्रशासनिक खर्चों में व्यर्थ कर देते हैं-जैसे वेतन, कार्यालय, यात्राएं आदि। आई डी एफ ओ आई इस बात से वाकिफ है कि इन सब बातों में बहुत पैसे खर्च होते हैं और वह भारतीय राजदूतों और वाणिज्य दूतावासों की सहायता मांगता है ताकि भारतीय प्रवासियों और उनके पी आई ओ में संपर्क स्थापित हो सके।

इवेंट्स के अलावा यह स्पेशल मीडिया के माध्यम से कम खर्च के प्रोग्रामों का जिम्मा भी लेता है। अक्टूबर 2016 के पहले आउट रीच प्रोग्राम के बाद यू.ए.ई. ने एक अभियान चलाया ताकि केरल में शौचालय बनाए जा सकें। नवंबर 2016 को एक अल्प-अवधि की फिल्म का प्रदर्शन हुआ जिसमें अध्यक्ष श्रीमती सुषमा स्वराज का एक सन्देश दिया गया जिसमें उन्होंने विदेश में रह रहे भारतीयों से कहा कि हमारे देश ने आपको बहुत कुछ दिया और यह अवसर भी कि आप यहाँ पहुँच गए। अब आपकी बारी है और आपसे आग्रह है कि आप इसमें खुलकर सहयोग करें। इस फिल्म को 1,50,000 लोगों ने देखा।

विदेशों में रह रहे भारतीयों के आलावा आई डी एफ ओ आई, परोपकार के सभी कार्यों से जुड़ा हुआ है, जैसे, फंड्स के उपयोग में पारदर्शिता और जिम्मेदारी। यह भारत में स्थित ऐसी संस्थाओं, प्रोग्रामों और योजनाओं की सूची देता है जिन पर भरोसा किया जा सकता है।

अभी तक जितनी भी योजनाओं की जिम्मेदारी उठायी गई है उनमें राज्य सरकारों की भागीदारी ने बहुत महत्वपूर्ण योगदान दिया है। आई डी एफ ओ आई राज्यों से निवेदन करता है कि वे उन योजनाओं की सूची दे जो शिक्षा, स्वछता, संधारणीय आजीविका, और महिला सशक्तिकरण के क्षेत्र से सम्बंधित हों। सूची का आंकलन किया जाता है और देखा जाता है कि योजना कहाँ पर लागू होगी, उसका मुख्य उद्देश्य क्या है, उसके मुख्य लाभार्थी कौन हैं और लागू करने वाली एजेंसी कौनसी है।

अपनी वेब साइट http idfoihicin और सोशल मीडिया मंचों (फेसबुक और ट्विटर) के माध्यम से और विदेशों में भारतीय राजदूतों और वाणिज्य दूतावासों के माध्यम से, योजनाओं को पास करने के बाद आई डी एफ ओ आई उनके बारे में विदेशियों को जानकारी देता है।

17 राज्यों में शाखा अफसरों की पहचान की गयी है जो योजनाओं के चयन और अमल करने की प्रक्रिया में सहायक होते हैं। सितम्बर 2017 तक सात राज्यों में नौ योजनाओं को हरी झंडी दिखा दी गई थी। एक बार एक दाता ने एक योजना का चुनाव कर लिया, तो आई डी एफ ओ आई 'प्राप्त करने वाली संस्था' के साथ एक संधि पर हस्ताक्षर करता है और 50 फीसदी कोष हस्तांतरित कर देता है। इतना ही नहीं, उपयोग और रख-रखाव के चरण तक योजना को शुरू से अंत तक निगरानी में रखा जाता है। गुणवत्ता नियंत्रण के मानदंड भी आंकलन का हिस्सा होते हैं।

संधि यह कहती है कि जो एजेंसी लागू कर रही है वह आई डी एफ ओ आई को त्रैमासिक रूप से जानकारी देती रहे ताकि उसे निर्धारित रूप से फंड्स मिलते रहें। निर्माण, क्रियान्वयन, रिपोर्ट करने और निगरानी करने की पूरी जिम्मेदारी एजेंसी की होती है ताकि यह सुनिश्चित हो कि योजनाओं की जरूरतें पूरी हो रही हैं और पैसों का हिसाब-किताब रखा जा रहा है।

पूरा होने के बाद एजेंसी को 'योजना बंद होने की रिपोर्ट' और फंड्स के उपयोग की रिपोर्ट प्रस्तुत करनी होती है और साथ ही वह फोटो और वीडियो जो दर्शाते हैं कि योजना में प्रति 6 महीनों में कितना विकास हुआ है। इसका उद्देश्य होता है कि योजना चलती रहे और उसका रख-रखाव हो। एक बार यह सभी जरूरतें पूरी हो जाती हैं, तो आई डी एफ ओ आई पूरा भुगतान कर देता है। दाता को प्रत्येक चरण में होने वाले कामों और त्रैमासिक खर्चों के बारे में बताया जाता है। राज्य सरकार के साथ से जो संधि होती है उसमें दाताओं को जानकारी प्रदान करने की बात लिखी होती है और सभी सम्बंधित प्रलेखीकरण को आई डी एफ ओ आई की वेबसाइट पर अपलोड किया जाता है। डाटा वेबसाइट का निरीक्षण कर सकता है। आई डी एफ ओ आई योजना के स्थानों तक जाने का प्रबंध भी करता है ताकि दाता देख सकें की योजना में कितना विकास हो रहा है और उसका कितना प्रभाव पड़ा है। वो चाहें तो प्रत्यक्ष रूप से राज्य सरकार या लागू करने वाली एजेंसी से भी संपर्क स्थापित कर सकते हैं।

छोटे दाताओं को भी नियमित रूप से योजना के विकास के बारे में बताया जाता है। सुशांत ठुमरी एक प्रवासी भारतीय तब बहुत अचंभित हुए थे, जब उनके योगदान को स्वीकृति दी गई बल्कि यह भी बताया गया कि उनके पैसे कहाँ लगाए गए; उनके मामले में पैसों को पंजाब में एक क्लास रूम बनाने के लिए उपयोग किया गया था। उन्होंने आई डी एफ ओ आई को लिखित रूप से अपनी खुशी व्यक्त की।

स्वच्छ भारत से जुडी योजनाओं में शामिल हैं राजस्थान, जम्मू और कश्मीर, छत्तीसगढ़, आंध्र प्रदेश, कर्नाटक, महाराष्ट्र, मिजोरम, ओडिशा, पंजाब, सिक्किम, उत्तराखंड और पश्चिम बंगाल में सामुदायिक शौचालयों का निर्माण और 'ठोस-कबाड़' प्रबंधन। तिरुपति में एक सामुदायिक शौचालय करीब 1600 तीर्थयात्रियों को लाभ पहुँचता है, जो प्रति दिन मंदिर में आते

हैं। विजयवाड़ा में सरकारी अस्पताल में बना शौचालय मरीजों की जरूरतें पूरी करता है। इसी प्रकार, अमृतसर में राम बाग में जो शौचालय बनाया गया है वह पर्यटकों, सड़क विक्रेताओं और झुग्गी-झोंपड़ियों में रहने वालों की जरूरतें पूरी करता है जिनके घरों में शौचालय नहीं हैं।

जहाँ तक स्वच्छ गंगा राष्ट्रीय योजना का सवाल है, आई डी एफ ओ आई को उम्मीद है कि वह इसके कुछ अंगों के लिए फंड्स प्राप्त कर पाएगा, जैसे उत्तराखंड पर्यटन विभाग बोर्ड के माध्यम से बद्रीनाथ में तप्त कुंड में छप्पर लगवाना और मन्दाकिनी नदी के किनारे नहाने के घाट बनवाना। वर्तमान समय में आई डी एफ ओ आई के पास केवल सात कर्मचारी हैं। लेकिन नतीजों को देखते हुए ऐसा लगता है कि जल्दी ही इसमें बढ़ोतरी होगी। भारतीय लोगों तक पहुँचने के बाद आई डी एफ ओ आई दूसरे देशों में भारतीयों के साथ सम्बन्ध स्थापित करने में सफल हुआ है। इससे द्विपक्षीय संबंधों को भी बढ़ावा मिल सकता है और यह भी महत्वपूर्ण है कि उन्हें आध्यात्मिक और भावनात्मक समर्थन प्राप्त होता है और अपनी मातृभूमि के साथ एक ठोस रिश्ता भी बनता है। क्योंकि अंत में भारत की परंपरा सभी भारतीयों की सम्पदा है, चाहे वे कहीं भी रहें।

संदर्भ

1. https://idfoi.nic.in/AboutUs.aspx
2. http://gulnews.com/news/uae/society/dubai-boy-donates-cash-award-to-clean-india-project-1.1919615
3. https://idfni.nic.in/ProjectTimeLine.aspx?Projectld=r3yauiqnwcxdZPqxi4/3Awu==&Stateld=VWNAvfoo6fanAOVZU1TG5g

अध्याय 9

दुनिया हो भारत के द्वार पर!

भारत में निवेश

भारत की तेजी से बढ़ती हुई अर्थव्यवस्था और उसका बाजार निवेशकों के लिए पर्याप्त आकर्षण का बिन्दु है। लेकिन भारत में निवेश करने के लिए जितनी औपचारिकताएं पूरी करनी पड़ती हैं वह अच्छे से अच्छे व्यक्ति को हतोत्साहित कर सकती हैं, विशेष रूप से विदेशी निवेशकों के लिए जो इस देश के नियमों और तौर-तरीकों से अनजान होते हैं। निवेश चाहे घरेलू हो या विदेशी आर्थिक विकास और रोजगार प्रदान करने के लिए बहुत जरूरी है और प्रधानमंत्री नरेंद्र मोदी ने इन बातों को पहचाना और एक प्रण लिया कि 'भारत में कारोबार करने की आसानी को बढ़ाया जाएगा।' 2017 में सरकार के प्रभावी संशोधनों की बदौलत विश्व बैंक के वार्षिक सर्वेक्षण में भारत का स्थान बढ़ कर 100वें स्थान पर पहुँच गया था जो पहले काफी सालों तक 130 के स्थान पर था। लेकिन, प्रधानमंत्री ने इस बात को समझा कि हालाँकि निवेशकों को, और विशेष रूप से विदेशी निवेशकों को, भारत में कारोबार करने की आसानी में सहायता चाहिए। इसके लिए पूर्ववत बने नियमों में संशोधन भी किया जाना चाहिए। भारत को एक समर्पित एजेंसी की जरुरत थी जो अन्य सभी देश प्रदान करते हैं चाहे वह भारत में वरीयता में कहीं आगे हैं। और यहीं से 'इन्वेस्ट इंडिया' का आईडिया आया जो एक निवेश प्रोत्साहन और सुविधा की एजेंसी है जिसे भारत सरकार ने प्रमोट किया है। 'इन्वेस्ट इंडिया' 2009 से एफ आई सी सी आई के अंतर्गत एक मरणासन्न एजेंसी के रूप में पहले से ही थी, जिसमें कर्मचारी नहीं थे और जिसका कोई उद्देश्य नहीं था। प्रधानमंत्री मोदी ने उसे नया जीवन प्रदान किया। 'इन्वेस्ट इंडिया' अपनी बनावट और अपने उद्देश्य के पहलू से एक अनुपम संस्था है।

यह एक सरकारी विभाग या एजेंसी नहीं है और न ही केंद्र या सार्वजनिक क्षेत्र का उद्यम है, बल्कि यह एक गैर मुनाफे की कंपनी है, जिसे मिले-जुले रूप से केंद्र सरकार और निजी क्षेत्र प्रोत्साहन देते हैं। और 'एफ आई सी सी आई', 'सी आई आई' और नैसकॉम जैसी उद्योग की चोटी की संस्थाएं इसका प्रतिनिधित्व करती हैं।

सरकार का प्रतिनिधित्व औद्योगिक प्रोत्साहन और नीति बोर्ड करता है जिसका 51 फीसदी अंश है जबकि निजी क्षेत्र का अंश 51 फीसदी का है जो तीन बराबर अंशधारकों के पास है। लेकिन 'इन्वेस्ट इंडिया' की पूरी फंडिंग भारत सरकार से होती है। 'इन्वेस्ट इंडिया' के अध्यक्ष डिपार्टमेंट ऑफ इंडस्ट्रियल पालिसी एंड प्रमोशन के सचिव हैं, जबकि प्रबंध निर्देशक और सी ई ओ को निजी क्षेत्र से चुना गया है।

यह संयुक्त ढांचा 'इन्वेस्ट इंडिया' के सुचारु तरीके से चलने के लिए बहुत महत्वपूर्ण है। सरकारी एजेंसियां और सार्वजनिक क्षेत्र के उद्यम कई बार बड़े पेचीदे और आपसी रूप से विपरीत नियमों द्वारा शासित होते हैं। 'इन्वेस्ट इंडिया' एक ऐसे तरीके से चलती है जो एक सरकारी हस्ती नहीं चल सकती। किसी भी संस्था की सफलता या विफलता के लिए मानव संसाधन का स्तर बहुत महत्व रखता है। एक साधारण सरकारी एजेंसी में या तो अफसरशाह होंगे जिनके पास जरूरी नहीं कि वह हुनर हों या प्रलोभन हों कि वह वैसा काम करें जैसा संस्था उनसे करवाना चाहती है। संयुक्त उद्यम के रूप में जहाँ सरकार के नियम उसपर बाध्य नहीं हैं वहां 'इन्वेस्ट इंडिया' अपने कर्मचारी कहीं से भी रख सकता है और वहां आई आई टी और आई आई एम् के लोग भी आकर्षित हुए हैं। 'इन्वेस्ट इंडिया' में कार्यरत लोगों की औसत उम्र केवल तीस है। सब मिलकर देखा जाए तो इन्वेस्ट इंडिया को एक ऐसी संस्था के रूप में ढाला गया है जिसमें बहुत उत्साह है और हुनर की कोई कमी नहीं है। इसका वार्षिक बजट करीब 7 यू.एस. मिलियन डॉलर है, जो दक्षिण कोरिया की निवेश एजेंसी के 248 यू.एस.मिलियन यू.एस. डॉलर और सिंगापुर की इन्वेस्टमेंट प्रमोशन एजेंसी के 167.9 यू.एस.मिलियन डॉलर का एक छोटा सा भाग है। इस सीमित बजट के बावजूद, इन्वेस्ट इंडिया को 2016 में यू एन सी टी ए डी ने विश्व में चोटी की इन्वेस्टमेंट पोर्मोशन एजेंसी की वरीयता दी। 2014 में यह वरीयताओं में शामिल भी नहीं था।

इसका संयुक्त ढांचा इसे अपना अनुपम और महत्वपूर्ण काम ठीक से करने देता है, जो है भावी निवेशकों को अंतिम हल प्रदान करना। 'इन्वेस्ट इंडिया' के कर्मचारियों में अपने अपने क्षेत्र के विशेषज्ञ शामिल हैं जो निवेश के स्थान खोजने में मदद कर सकते हैं, राज्य सरकार के अधिकारियों के साथ मीटिंग्स करवा सकते हैं और संयुक्त क्षेत्र के अंश-धारकों के साथ भी; इस प्रकार इन्वेस्ट इंडिया निवेश से पूर्व चरण में आपको भूमि दिलवाने में सहायक हो सकती है और केंद्र और राज्य सरकारों और उनकी एजेंसियों के साथ ताल-मेल करने में। दूसरे चरण में वह आपको काम शुरू करने के लिए अनुमोदन और अनुमतियाँ दिला सकती है और निवेश के बाद वह एजेंसी या सरकार के साथ आपकी शिकायतों का निवारण कर सकती है। यह निवेशक की सम्पूर्ण जरूरतों को पूरा कर सकती है और वह भी बिना किसी शुल्क के। और एजेंसी का अनुपम ढांचा उसकी मदद करता है कि वह यह सारे काम ठीक से कर पाए। निजी क्षेत्र की भागीदारी इसे कार्यकुशलता और दक्षता प्रदान करती है, सरकार का इसमें अंश होने से उसका सम्बन्ध अलग अलग एजेंसियों से अच्छी तरह हो जाता है और उसे अनुमोदन और अनुमतियाँ प्राप्त हो जाती हैं। यह इस बात का उत्कृष्ट उदाहरण है कि सार्वजनिक क्षेत्र और निजी क्षेत्र की भागीदारी से कितने अच्छे नतीजे सामने आ सकते हैं।

'इन्वेस्ट इंडिया' भारत में विदेशी निवेश लाने में बहुत सफल हुआ है। सम्पूर्ण रूप से देखें तो उसने 68.5 यू.एस. मिलियन डॉलर का निवेश करवाया हैं और करीब 1 लाख प्रस्तावों से निपटा है। कुछ बहुत प्रमुख अंतरराष्ट्रीय कंपनियों ने 'इन्वेस्ट इंडिया' की सहायता का लाभ उठाया है। इनमें शामिल हैं स्वीडन की फर्नीचर बनाने की कंपनी IKEA फ्रांस की गाड़ियां बनाने वाली कंपनी, पूजोत नीदरलैंड की विंड टरबाइन कंपनी और मार्क्स एंड स्पेंसर जो यू.के. की खुदरा वस्तुओं की कंपनी है।

पूजोत का मामला दिखाता है कि 'इन्वेस्ट इंडिया' अपने कार्य में कितना कुशल और दक्ष है। अगस्त 2015 में इन्वेस्ट इंडिया के अधिकारियों ने लंदन के फाइनेंसियल टाइम्स में एक लेख देखा जिसमें यह लिखा हुआ था कि निवेश स्थान के रूप में पूजोत तीन देशों के बारे में सोच रही थी- मोरक्को, ईरान और चीन, जिसमें वह करीब 400 बिलियन यूरो निवेश करने का सोच

रही थी। इन्वेस्ट इंडिया ने तय किया कि वह भारत का नाम आगे करेगा, लेकिन शुरू में उसे किसी ने तूल नहीं दिया क्योंकि 2005 में कंपनी भारत छोड़कर चली गई थी जब उसे ज्यादा सफलता नहीं मिल पाई थी। यदि उसे दोबारा आने के लिए प्रोत्साहित करना था तो उसके लिए एक बार पेरिस जाने की जरुरत थी। यह बात स्पष्ट थी कि अन्य देशों ने पूजोत को अच्छे प्रोत्साहन दिए होंगे। चीन और ईरान प्रोत्साहन के रूप में कर मुक्तियाँ दे रहे थे, जबकि मोरक्को में पहले से ही पूजोत की एक कंपनी मौजूद थी। इन्वेस्ट इंडिया किसी भी प्रकार के वित्तीय प्रलोभन नहीं दे सकती थी, इसलिए उसने ऐसा प्रेजेंटेशन बनाया जिसका ध्यान केवल भारत के बड़े बाजार पर था और कैसे उससे कंपनी की वित्तीय स्थिति सुधर सकती है जो उस समय काफी खराब थी। प्रदर्शन से एक अवसर मिला, लेकिन कोई संधि नहीं हो पाई। मोरक्को ने एक बात और फायदे की कही कि उन्होंने कहा उनके देश में जो भी पूजोत गाड़ी बनेगी उसके भाड़े का खर्च वह बिना किसी आर्थिक प्रलोभन के उठाएंगे। और उसने वैसा ही किया। चेन्नई का एक कारखाना जिसमें हिंदुस्तान मोटर्स की गाड़ियां बनाई जाती थीं कार्यसंचालित नहीं था और उसे ब्यूरो फॉर इंडस्ट्रियल एंड फाइनेंसियल रिकंस्ट्रक्शन ने अपने नीचे ले लिया था। इन्वेस्ट इंडिया की टीम ने जो काम करना था वह किया और जून 2016 तक उसे पूजोत के उपयोग के लिए उचित बना दिया। अब फ्रांस की यह गाड़ी बनाने वाली कंपनियां भारत में केवल गाड़ियां ही नहीं बनाएगी बल्कि अनुसन्धान और विकास में भी निवेश करेगी। अगस्त 2015 में भारत विकल्प का देश तक नहीं था।

केवल विदेशी निवेशक नहीं हैं जिन्होंने इन्वेस्ट इंडिया के प्रयत्नों का लाभ उठाया है। भारतीय नौसेना के एक सेवानिवृत्त कप्तान के पास एक तकनीक थी जिससे बिना मनुष्य की रेडियो से नियंत्रित नाव बनाई जा सकती थी लेकिन उसमें इतनी क्षमता नहीं थी की वह रक्षा मंत्रालय की लाल फीताशाही से निपट पाता। उन्होंने मेक इन इंडिया की वेबसाइट पर एक नोट लिखा जिसे इन्वेस्ट इंडिया ने देखा इन्वेस्ट इंडिया से एक टीम ने इस पूर्व नौसैनिक की सहायता की कि वह अपने प्रस्ताव को ठीक तरह प्रस्तुत कर पाए। इस का नाम था सागर डिफेन्स इंजीनियरिंग। उन्होंने उस व्यक्ति की मदद की और रक्षा मंत्रालय की प्रणालियों से निपटने का रास्ता दिखाया

और अंत में इस बिना मनुष्य की बोट का निर्माण आयात की एक-चौथाई कीमत पर हो सका और उसे बाजार भी मिल गया।

इन्वेस्ट इंडिया की सफलता का एक फायदा यह हुआ कि सरकार का भ्रष्टाचार और बिचौलियों की समाप्ति हो गई है जो प्रधान मंत्री मोदी का उद्देश्य पहले से था। इन्वेस्ट इंडिया की गैर-उपस्थिति में भावी निवेशकों के पास और कोई विकल्प नहीं होता था कि वह किसी भी बिचौलिए की सहायता लें और भारत में निवेश की योजना को सफल बनाए, इससे यह होता था कई भ्रष्टाचार को अवसर मिल जाता था और बिचौलियों का काम खूब चलता था। प्रधान मंत्री मोदी की पहल से इन बिचौलियों का धंधा समाप्त हो गया और भ्रष्टाचार पर भी रोक लग गई।

इन्वेस्ट इंडिया ने सरकार के सक्रिय उदारीकरण के प्लान का विदेशी निवेश के मानदंडों के सन्दर्भ में अच्छा साथ दिया है। अपने कार्यालय के प्रथम तीन वर्षों में प्रधान मंत्री मोदी की सरकार ने 21 क्षेत्रों में करीब 87 एफ डी आई के नियमों में ढील दी और विदेशी निवेश को आकर्षित किया। नए क्षेत्र जैसे रक्षा और रेल अवसंरचना को भी विदेशी निवेशकों के लिए खोल दिया गया है। पुरानी संस्थाएं जैसे फॉरेन इन्वेस्टमेंट प्रमोशन बोर्ड जो लालफीताशाही का हिस्सा थे, अब समाप्त कर दिए गए हैं। नतीजे बहुत अच्छे हुए हैं।

2015-16 में भारत को एफ डी आई इनफ्लो के रूप में रिकॉर्ड बनाने वाले 55 बिलियन यू.एस. डॉलर का निवेश प्राप्त हुआ था। इसके बाद के वर्ष में यह रिकॉर्ड भी टूटा और करीब 60 बिलियन यू.एस. डॉलर का निवेश हुआ। जब से प्रधान मंत्री मोदी बने हैं भारत ने विदेशी निवेश आकर्षित करने में चीन को पीछे छोड़ दिया है। और यह भी ऐसे समय में जब विश्व में मंदी चल रही है और भारत में भी पिछली सरकार की बदौलत मंदी है। इसका कारण है विशेषकर इन्वेस्ट इंडिया की नीति में बदलाव और नवीनता।

इसका फायदा केवल विदेशी निवेशकों को नहीं मिला है। प्रधान मंत्री का यह लक्ष्य है कि वह उद्यमता की एक नई सभ्यता लाएं जैसा कि उन की महत्वपूर्ण योजना, स्टार्ट अप इंडिया, स्टैंड अप इंडिया के प्रोग्राम से स्पष्ट है। भारत केवल विदेशी निवेशकों के बल पर विकास नहीं कर सकता; उसे आज ऐसे उद्यमियों की जरुरत है जो रोजगार दिला सकें। उद्यमियों की यह

नई पीढ़ी को अनुमति मिलनी चाहिए कि वह बिना किसी सरकारी बाधाओं और भ्रष्ट एजेंसियों और व्यक्तियों से मुक्त वातावरण में आगे बढ़ें। भारत को ऐसे पूँजीवाद की जरुरत है जिसमें चापलूसी न हो और गलत काम न हों। यह कहना आसान है करना मुश्किल। लेकिन इन्वेस्ट इंडिया जैसी संस्था ही वह संस्था है जिसकी जरुरत एक युवा उद्यमी को चाहिए ताकि वह ईमानदारी से विभिन्न प्रणालियों से निपट सके और अनुमोदन और अनुमतियाँ पाने के लिए उसे बेकार के पैसे न खर्च करने पड़ें। इन्वेस्ट इंडिया अभी से इन उद्यमियों के लिए यह काम कर रही है।

आगे की और देखते हुए, इन्वेस्ट इंडिया बहुत महत्वपूर्ण भूमिका निभाएगी और प्रधान मंत्री मोदी को अपने लक्ष्य, जैसे मेक इन इंडिया, स्टार्ट उप इंडिया, स्टैंड उप इंडिया आदि हासिल कराने में सहायक होगी और नए उद्यमियों की एक पीढ़ी सामने आएगी और लाखों भारतीयों की लिए रोजगार की अवसर पैदा होंगे।

सन्दर्भः

1. http://investindia,gov.in/
2. http://www.thehindubusinessline.com/news/fine-art-of-guiding-investments-into-india/article 9693672.ece
3. http://www.thehindubusinessline.com/economy/885-billion-and-counting-how-invest-india-keep-fdi-rolling-in/article9928334ece
4. https:// /economictimes.indiatimes.com/news/cconomy/finance/modi-governments- invest-india-programme-sets-in-motion-a-quiet-revolution-for-india-bound-investors/articleshow/54304397cms

अध्याय 10

ढूंढने हैं सीप में छिपे मोती!

अनुसूचित जाति के लिए उद्यम-पूँजी कोष

उम्मीद पर ही दुनिया कायम है, लेकिन किसी भी बात की उम्मीद रखने से पहले आपको उसके पूरे होने के लिए प्रयत्न करना जरूरी होता है। 'आरक्षण' जैसी नीतियों की बदौलत कमजोर जातियां, जैसे, 'अनुसूचित जातियां' और 'अनुसूचित जन-जातियों' को अवसर मिला कि वह भी अपनी अंधकारमय दुनिया से बाहर निकलें और देखें कि दुनिया में कितना विकास हो गया है। इन जातियों से कई व्यक्तियों ने अपने दम पर यह दिखा दिया कि प्रतिभा किसी वर्ग तक सीमित नहीं होती, और अपने प्रयत्नों से वे आगे बढ़ते रहे। कई लोग थे जो इन्हें इस बात का श्रेय नहीं देना चाहते थे; बल्कि उनका कहना था कि इस बात का श्रेय केवल उनको दिए गए 'आरक्षणों' और उन्हें दिए गए अन्य अवसरों को जाता है।

लोगों का ऐसा रवैय्या और सोच न केवल गलत है, बल्कि इससे उन लोगों का अपमान भी होता है जो अपनी प्रतिभा के बल पर अपने को साबित करते हैं। जो व्यक्ति नौकरी की तलाश में है उसे हमेशा नौकरी मांगने वाला कहा जाएगा, और इसमें कुछ गलत नहीं है। लेकिन, इस स्थिति से समझौता नहीं करते हुए और हृदय में कुछ करने की इच्छा रखते हुए, पुणे और दिल्ली के अनुसूचित जातियों के कुछ उद्यमियों ने निर्णय लिया कि वह आंबेडकर के सपने को सच करके दिखाएंगे और नौकरी ढूंढने वालों के बदले नौकरियां देने वाले बनेंगे! अनुसूचित जातियों के उद्यमियों के लिए 'उद्यम पूँजी कोष' को मोदी सरकार ने 2015 में शुरू किया जो इन दलित युवाओं के प्रयत्न की पहचान था जो अब पूर्ण रूप से कारोबारों और उद्योगों में स्थापित हो चुके हैं और जो चाहते हैं कि ऐसे उद्यमी पूरे देश में अपना वर्चस्व स्थापित करें।

भारत में सकारात्मक क्रिया की सोच सबसे पहले छत्रपत्ति शाहूजी ने 1902 में शुरू की थी, शाहू जी कोल्हापुर के राजा थे। उन्होंने अपने समय में एक सामाजिक क्रान्तिकारी भी की थी। उन्होंने अपनी सरकार में पिछड़े हुए वर्गों के लिए सभी नौकरियों में 50 प्रतिशत आरक्षण दिया। स्वतंत्र भारत में शिक्षा और रोजगार में 'कोटा प्रणाली' ही सभी वर्गों को बराबर अवसर प्रदान करने का मुख्य तरीका रहा है। अनुसूचित जातियों और जन-जातियों के लिए सरकारी नौकरियों और शिक्षा संस्थाओं में आरक्षण नीति को भारतीय संविधान ने अनिवार्य किया और इसका अनुसरण पिछले 65 सालों से हो रहा है।

2014 में, सरकार ने निर्णय लिया कि बदलाव की इस गति में तेजी लानी होगी। डॉक्टर भीमराव आंबेडकर पिछड़ी जातियों और अनुसचित वर्ग के सबसे बड़े समर्थक रहे हैं और भारतीय संविधान के अग्रणी, उन्होंने कहा था कि सामाजिक बराबरी के साथ अनुसूचित जनजातियों को आर्थिक बराबरी भी दी जानी चाहिए। उनका मानना था कि वित्तीय सशक्तिकरण से तेजी से बदलाव लाया जा सकता है। अनुसूचित जातियों के युवाओं में उद्यमिता की भावना को प्रोत्साहन देने से न केवल आर्थिक विकास होगा, बल्कि उसका मानसिक प्रभाव भी पड़ेगा। इससे इन युवाओं का आत्म-विश्वास और स्वाभिमान भी बढ़ेगा।

दिसंबर 2015 में दलित उद्यमियों के एक सम्मलेन में प्रधानमंत्री नरेंद्र मोदी ने कहा कि हमारे संविधान के रचयिता होने के अलावा, डॉक्टर आंबेडकर एक अर्थशास्त्री भी थे और उनका सपना था कि भारत एक औद्योगिक देश के रूप में उभरे। उनका मानना था कि दलितों का विकास केवल औद्योगीकरण से हो सकता है क्योंकि उनके पास अपनी कोई भूमि नहीं थी।

इस बात को साबित करने के लिए हम मिलिंद कांबले का उदाहरण ले सकते हैं। वह फार्च्यून कंस्ट्रक्शन के अध्यक्ष हैं और लातूर, महाराष्ट्र के एक स्कूल अध्यापक के बेटे हैं। उन्होंने एक साक्षात्कार में बताया कि वह इस बात को नहीं मानते थे की अनुसूचित जनजातियों को विशेष लाभ मिलने चाहिए, बल्कि उन्होंने अपनी बेटी के स्कूल के प्रधानाचार्य को लिखा था कि वह नहीं चाहते कि उसे कोई विशेष रियायतें दी जाएँ और इसलिए तो बिल्कुल नहीं कि वह 'अनुसूचित जनजाति' से है! कांबले ने पुणे में दलित

इंडियन चेंबर ऑफ कॉमर्स की स्थापना की जिससे सभी दलित कारोबारियों को एक छत के नीचे लाया जा सके और उद्यमिता को एक ऐसा रास्ता माना जाए जिससे सामाजिक-आर्थिक असमानताएं दूर होती हैं और जो अभिलाषी उद्यमियों के लिए एक संसाधन केंद्र के रूप में कार्य करे। यह उद्देश्य संस्था के एक नारे में प्रतिबिंबित होते हैं। इसमें कहा गया है कि, "नौकरी देने वाले बनिए, नौकरी चाहने या मांगने वाले नहीं।"

डी आई सी सी आई के अन्य दिग्गजों में शामिल हैं कल्पना सरोज जो 'कमानी ट्यूब लिमिटेड' की अध्यक्ष हैं। वह अनेक कारोबारों को आजमा चुकी हैं, जैसे, भूमि-भवन, सिलाई, फिल्में बनाना और फर्नीचर बेचना; बाद में वह कमानी ट्यूब में आई और उन्होंने उसका ढांचा ही बदल डाला। यदि हम उनकी जीवन गाथा सुनें तो हमें लगेगा कि हम कोई मसालेदार कहानी पढ़ रहे हैं। उनका विवाह 12 वर्ष में हो गया और वह मुंबई की एक झुग्गी-झोंपड़ी में वधु के रूप में आई। यहाँ से वह भाग गई और उन्होंने कपड़ों की एक फैक्ट्री में काम करना शुरू कर दिया और काम करते-करते एक बड़े उद्यम की मालिक हो गई। 2013 में उन्हें व्यापार और उद्योग में उनके योगदान के लिए पदमश्री दिया गया। एक अन्य उदहारण है रवि कुमार नर्रा का जो 'आदित्य निर्माण प्राइवेट लिमिटेड' के सी एम् डी हैं। वह एक मिस्त्री के बेटे हैं और उन्होंने अपना करोड़ों का निर्माण का कारोबार शून्य से शुरू किया और अब वह दलित युवाओं को कौशल प्रदान करने के लिए लगातार प्रयत्न करते हैं; उन्हें 2014 में पद्मश्री से नवाजा गया और उनका कहना है कि अनुसूचित जाति के उद्यमियों के सामने सबसे बड़ी मुश्किल होती है कि उनके पास बैंकों तक पहुँच नहीं होती और इसलिए उन्हें क्रेडिट नहीं मिल पाता।

डी आई सी सी आई ने इस बात पर जोर दिया कि रियायती दर पर वित्तीय मदद मिलनी चाहिए और कहा कि दलित उद्यमियों के सामने यह सबसे बड़ी बाधा है। सरकार इस बात से सहमत थी। कम दरों पर क्रेडिट नहीं मिलने से दलित युवाओं को अनौपचारिक स्त्रोतों से ऋण लेना पड़ता है और बहुत ऊँची ब्याज दरें देनी पड़ती हैं। बैंकों की प्रणाली बहुत जटिल होती है और वह 'समर्थक ऋण' के रूप में बहुत अधिक अपेक्षा रखते हैं जिससे दलित युवा ऋण नहीं ले पाते और उनके शुरुआती उद्यमों के पास

यह विकल्प रह जाता है कि वह अनियंत्रित बाजार से पैसा लें। यह कहने की जरुरत नहीं है कि सामाजिक भेदभाव इसमें बड़ी भूमिका निभाता है।

इस प्रकार शुरुआती फंड्स का न मिलना इस समुदाय के आर्थिक विकास में बड़ी बाधा थी। सात दशकों में कोई ऐसी योजना नहीं बनी थी जो अनुसूचित जनजातियों के अभिलाषी उद्यमियों को विशेष रूप से वित्तीय समर्थन प्रदान करती। साम्य-पूँजी तक पहुँच बहुत सीमित थी और फंड्स केवल ऋण के रूप में उपलब्ध होते थे। और वर्तमान योजनाओं के बारे में जानकारी भी पर्याप्त नहीं थी और वैसे भी यह योजनाएं सब तक पहुँच नहीं रही थीं।

इसके बारे में काफी विचार करने के बाद सामाजिक न्याय मंत्रालय ने अनुसूचित जनजातियों के लिए वेंचर कैपिटल फण्ड की शुरुआत करने की सोची। वास्तव में इसका उद्देश्य इस आधार पर था कि रियायती फंडिंग के द्वारा अनुसूचित जनजातियों के लिए वित्तीय समायोजन बढ़ाना- इससे सम्पदा बनेगी और सामाजिक-आर्थिक उत्थान होगा।

वीसीएफ अनुसूचित जाति फण्ड की शुरुआत 16 जनवरी 2015 को हुई जिसका उद्देश्य था साम्य और साम्य से जुड़े ऋण प्रपत्रों के माध्यम से अनुसूचित जनजातियों द्वारा शुरू की गयी कंपनियों को रियायती वित्त प्रदान करना। शुरुआती राशि 250 करोड़ थी। इसमें से केंद्र सरकार का योगदान 200 करोड़ था और बाकि का पैसा IFCI वेंचर कैपिटल फंड्स ने लगाया (जो निवेश का प्रबंधक था) मार्च 2017 में केंद्र सरकार ने इसमें अतिरिक्त फंडिंग की और कुल फंड्स 290 करोड़ के हो गए; इसमें से 4 करोड़ रूपये उत्तर-पूर्वी राज्यों के लिए अलग रखे गए हैं।

वित्त प्राप्त करने के लिए आवेदन ऐसी कम्पनियाँ दे सकती हैं जो निर्माण या सेवा में संलग्न हैं और जिनका पिछले 12 महीनों में कम-से-कम 60 फीसदी क। उन कंपनियों में अंश है और साथ ही जिनके पास प्रबंधक नियंत्रण भी है। प्रस्तावों के आंकलन में महिला उद्यमियों को अतिरिक्त भार दिया जाता है। जो उद्यमी 3 करोड़ से अधिक के फण्ड चाहते हैं उन्हें अपनी योजनाओं का मूल्यांकन किसी बैंक या वित्तीय संस्था से करवाना चाहिए। 50 लाख से 15 करोड़ के ऋण के लिए (बशर्ते कि वह कंपनी के कुल मूल्य के दुगने से अधिक न हो) वित्तीय सहायता की अवधि 6 सालों की होती है।

जो कम्पनियाँ 5 करोड़ से कम के लिए आवेदन करती हैं, उन्हें योजना की 75 फीसदी लागत तक फंडिंग दी जा सकती है और जो 5 करोड़ से अधिक ऋण चाहते हैं उन्हें 50 प्रतिशत तक की फंडिंग दी जा सकती है जिसमें बैंक अतिरिक्त 25 प्रतिशत प्रदान कर देते हैं और प्रोत्साहक बची हुई शेष राशि देता है।

पहली चुनौती थी ऋण को तेजी से देना और इसका हल निकाला गया कि एक ही स्थान पर सब कुछ प्रदान किया जाने लगा। दूसरी चुनौती थी साम्य पूँजी की कमी जिसका हल निकाला गया ऐसे उद्यमियों को खोज कर जिन्हें साम्य, अर्ध-साम्य और ऋण के प्रपत्रों की जरुरत थी। साम्य के प्रपत्रों से उम्मीद रहती है कि वह 15 प्रतिशत की वापसी दें और ऋण के प्रपत्र 10 प्रतिशत की वापसी दें। सूद निवेश की तिथि से शुरू हो जाता है और 'मूल पर ऋण स्थगन' को प्रत्येक मामले के अनुसार तय किया जा सकता है।

तीसरा मुद्दा था ऋणों और डिबेंचर्स के आधार पर समर्थक ऋण प्रदान करने की सीमाएं, जिसका निवारण यह निकाला गया कि 'वी सी एफ अनुसूचित जाति' और 'प्रोत्साहक' के योगदान द्वारा फण्ड की गयी योजना की परिसम्पत्तियों को प्रतिभूति का हिस्सा बनाया गया। पोस्ट डेटेड चेक्स, प्रतिज्ञा-पत्र और वापसी खरीद की संधियां अनुमित हैं और प्रोत्साहकों को अनुमति है कि यदि वह पूरे भाग के 26 फीसदी के और चुकता-पूँजी के 51 फीसदी के हिस्सेदार हैं, तो वह अपने अंशों को समर्पित कर सकते हैं। मित्रों, रिश्तेदारों और सहकर्मियों से मिले सहायक ऋण और कॉर्पोरेट गारंटी भी अनुमित हैं।

बहुत ज्यादा शर्तें नहीं हैं, बशर्ते कि आवेदक को कंपनी निगमित किए कम से कम एक वर्ष हो गया हो और दूसरी यह कि वह योजना के दौरान अपनी अंश-धारिता को 60% से कम नहीं कर सकता। आवेदन ऑनलाइन भरे जा सकते हैं और प्रस्तावों का अधिक से अधिक 4 महीनों में निपटान कर दिया जाता है। योजना को 2 वर्षों के अंदर शुरू हो जाना चाहिए और यदि पर्याप्त कारण हों तो 3 महीनों की बढ़ोतरी मिल जाती है।

प्रस्ताव 4 चरणों से गुजरते हैं। शुरुआती जांच के बाद एक निवेश समिति उन्हें पास करती है और यह तय करती है कि कितनी सहायता दी जाए। इसके बाद उद्देश्य-पत्र जारी होता है और कानूनी प्रलेखीकरण होता है। अंत

में ऋण को चरणों में वितरित किया जाता है। नियंत्रण और संतुलन बनाए रखने के लिए जांच समिति के सदस्यों को निवेश समिति में नामांकित नहीं किया जा सकता। योजनाओं की देखभाल स्थानों पर जाकर की जाती है और जहाँ जरुरत होती है वहां तकनीकी सहायता दी जाती है।

निवेशकों के दृष्टिकोण से क्रियान्वयन की मुख्य चुनौती होती है उद्यमियों की पहचान करना और यह सुनिश्चित करना कि योजना बिना विलम्ब के शुरू हो रही है-इसके लिए डी आई सी सी आई ने हस्तक्षेप किया और भावी लाभार्थियों की पहचान की और उनको समर्थन दिया। योजना को प्रचलित बनाने के लिए स्थानीय दलित संस्थाओं और जिला औद्योगिक केंद्रों के साथ के साथ जागरूकता अभियान चलाये गए। जागरूकता लाने के लिए अखबारों, इश्तिहारों, सम्मेलनों और कार्यशालाओं की सहायता ली गयी। सोच यह थी कि अनुसूचित जनजातियों के लोगों के लिए रोल मॉडल बनाना ताकि वह अपने स्वयं के कारोबार स्थापित करें। उन 35 कंपनियों में से जिन्होंने अभी तक इसका लाभ उठाया है, वी सी एफ अनुसूचित जाति योजना ने उनकी बहुत मदद की है। सबसे जरूरी शुरुआती वित्त उपलब्ध कराया गया और अन्य समर्थन भी दिए गए। इनमें से कई व्यावसायिक रूप से ठीक चल रहे हैं; उन्होंने न केवल मुनाफा कमाया हैं बल्कि रोजगार भी दिया है। आगे और पीछे की ओर हुए इन मेल-जोलों ने अपने स्थान की अर्थव्यवस्था को बढ़ावा दिया है।

भारत में अनुसूचित जनजातियों की संख्या 20 करोड़ 13 लाख है (कुल जन-संख्या का 16.62%), लेकिन इनमे केवल 1000 ही उद्यमी बन पाए। और कुल बिक्री 60,000 करोड़ की रही है। यदि 17 अप्रैल 2017 की तिथि तक जिन 67 योजनाओं को अनुमोदन दिया गया है, वह चालू हो जाती हैं तो इस सूची में थोड़े और जुड़ जाएंगे। कुल 291 करोड़ रुपयों की सामूहिक राशि से 241.36 करोड़ लिए जा चुके हैं। अभी तक 37 कंपनियों ने करीब 119 करोड़ के फण्ड का उपयोग किया है।

जिन योजनाओं को अनुमोदन मिला है उनमें शामिल हैं एक सोलर पार्क जिसकी क्षमता 400 मेगा वाट की है जो रेडिएशन के माध्यम से कैंसर का इलाज करेगा, एक खाने का तेल निकालने का कारखाना, मुर्गी-पालन की एक इकाई, एक पैथोलॉजी की प्रयोगशाला और एक रक्त-बैंक, एक बेकरी, मछली पकड़ने के जाल बनाने की सुविधा, फिटनेस केंद्र, मनोरंजन का पार्क

और एक खरीदारी का काम्प्लेक्स। एक-तिहाई उद्यमी महाराष्ट्र से हैं, बाकी दिल्ली, पंजाब, हरियाणा, असम, तेलंगाना, कर्नाटक, आंध्र प्रदेश, गुजरात और उत्तर प्रदेश से हैं।

अधिकांश शुरुआती कंपनियों को ज्यादा पूँजी की आवश्यकता नहीं होती क्योंकि उद्यमियों को केवल फंडिंग में आ रही रुकावटें पूरी करने की जरुरत होती है, जो छोटी होती हैं, लेकिन किसी भी कंपनी को शुरू करने में महत्वपूर्ण साबित हो सकती हैं। उदाहरण के लिए, एक उद्यम है जिसमें नागपुर के साओनेर में एक आटा-चक्की का कारखाना है, जिसे इलेक्ट्रॉनिक इंजीनियर अभिताभ मेश्राम ने शुरू किया। इसके लिए VCF SC ने पूँजी की 25 फीसदी जरुरत पूरी की। यह इकाई मुख्य रूप से 'बेकरी' के उद्योग की जरूरतें पूरी करने के लिए लगाई गई, जहाँ विभिन्न प्रकार के अनाज पीसे जाते हैं। मेश्राम उम्मीद करते हैं कि इस योजना को 'प्राप्ति की नई नीति' के साथ जोड़ा जा पाए; नई नीति के अनुसार सरकारी विभागों को अपनी कुल जरूरतों का 4 फीसदी भाग दलितों के उद्यमों से लेना जरूरी है।

एक अन्य इलेक्ट्रॉनिक इंजीनियर प्रवीण कांबले को VCF SC से 1.42 करोड़ का अनुमोदन प्राप्त हुआ ताकि वह ई-व्यापार की साइट खोल सकें। यह पीने के पानी की कंपनी थी, जो प्रतिदिन 8000 लीटर पानी को शुद्ध करने की क्षमता रखती थी और इसे एक दलित कर्मठ द्वारा शुरू किया गया था, इसे 3.99 करोड़ के फंड्स प्राप्त हुए.संयोग से, इसका नाम महाराष्ट्र के सतारा में चावडत पर 20 मार्च को हुई घटना के उपलक्ष्य में इसका नाम पर वेंचर प्राइवेट लिमिटेड रखा गया है, जहाँ डॉक्टर आंबेडकर ने उन नियमों का विरोध किया था जो कहते थे कि दलित लोगों से कुछ लोग पानी तक नहीं पीते।

अभी तक योजना में जो विकास हुआ है उससे ऐसा लगता है कि इस योजना को बढ़ावा दिया जा सकता है। एक ऐसी योजना चालू है जो यह देख रही है कि VCF SC के अंतर्गत जो उद्यम लगाए गए हैं उनकी 'केस स्टडी' की जाये और उन्हें कौशल विकास केंद्रों में उपयोग किया जाए ताकि अन्य उद्यमी इनको देख-समझ कर इनका अनुसरण कर सकें।

एक अन्य प्रस्ताव है कि फंडिंग पर सूद की दरें कम की जाएँ ताकि अनुसूचित जनजातियों के उद्यमियों को और बढ़ावा मिले जिससे वह और

उद्यम लगाएं और उन्हें बढ़ाएं, और अन्य समुदायों के लिए कुछ ऐसा ही करने का प्रस्ताव है।

चंद्रभान प्रसाद जो DICCI के सलाहकार हैं उनका मानना है कि भारतीय समाज में अब जाति के स्थान पर श्रेणियों का महत्व बढ़ रहा है और यदि दलितों को अपनी सामाजिक स्थिति में सुधार लाना है तो उन्हें उद्यमता का सहारा लेना चाहिए। अपनी कथनी और करनी में अंतर न रखते हुए उन्होंने एक इ-व्यापार उद्यम शुरू किया है, जिसका नाम जानबूझ कर 'दलित फूड्स' रखा गया है जो उस दकियानूसी सोच की याद दिलाता है, जब यह माना जाता था कि यदि किसी दलित के पैर भी रसोईघर में पड़ गए तो खाना अशुद्ध हो जाता है। एक टी.वी. चैनल को प्रसाद ने यह बात कही 'समाज में बदलाव इस बात से भी दिखता है कि आर्थिक गतिविधियों में दलितों की भागीदारी बढ़ रही है और युवा इसमें सबसे आगे हैं।'

सामाजिक न्याय और समानता जैसे मुद्दों के लिए लोगों को अधिक संवेदनशीलता दिखने की जरुरत है और साथ ही कानून भी कड़े होने चाहिए और उनका क्रियान्वयन भी। लेकिन इन सब से ज्यादा जिस बात की जरुरत है वह यह है कि न्याय पाने के लिए समाज के वंचित भाग को किसी की सहायता की जरुरत नहीं है! उनका अनंत आत्म-विश्वास और भरसक-प्रयत्न करने की क्षमता उन्हें आगे ले जा रही है। ऐसे ही नहीं, प्रधानमंत्री अनुसूचित जनजातियों और अन्य पिछड़ी हुई जातियों के युवाओं को डॉक्टर बाबासाहेब आंबेडकर की बात याद दिला रहे हैं जिसके अनुसार उन्होंने कहा था, "केवल नौकरी पाने की ख्वाइश मत रखो, नौकरी देने वाले बनने की तमन्ना रखो।"

संदर्भ

1. Press Information Bureau, Government of India. President's Secretariat, published on 28 December 2013: http://pib.ric.in/newsite/PrintRelease.aspx?relid=102193
2. Press Information Bureau, Government of India. PMO, published on 29 December 2015: http://pib.nic.in/newsite/printrelease.aspx?relid=133073
3. http://epapcr.timesofindia.com/Repository/getFiles.asp? Style=OliveXLib:LowLevelEntityToPrint_

CREST&Type=text/html&Path=TCRM/2010/05/29$ID =Pc0060
4. http://www.rediff.com/business/special-kalpana-sarojs-incredible-journey-from-despair-to-success/20150604.htm (Published on 4 June2015)
5. http://ravikumarnarra.com/
6. http://indianexpress.com/article/india/india-news-india/a-new-business-class-dalits-who-turned-first-generation-entrepreneurs/(Published on 11 October2015)
7. http://www.dnaindia.com/india/report-dalit-enterpreneurship-can-change-the-community-s-social-status-chandrs-bhan-prsad-1906759 (Published on 21 October: 2013)

अध्याय 11

स्वस्थ भारत-स्वच्छ ईंधन

प्रधानमंत्री उज्ज्वला योजना

27 मार्च, 2015 को प्रधानमंत्री नरेंद्र मोदी ने देश वासियों के सामने एक ट्वीट के माध्यम से एक सरल सवाल रखा, "क्या आप इसकी कुरबानी देने को तैयार हैं?" उनका अभिप्राय था कि क्या लोग अपने LPG कनेक्शन की सबसिडी त्यागने के लिए तैयार हैं? यह उनके लिए तो एक छोटा सा त्याग होगा, लेकिन गरीबों को इससे बहुत लाभ पहुंचेगा। प्रश्न तो स्पष्ट था परन्तु उसके पीछे 'रवैय्ये' की बात छुपी थी और इसने शासन की एक नवीन सोच को बढ़ावा दिया, जिसने एक प्रकार से 'परोपकार' को 'जनता की नीतियों' का एक हथियार बनाया।

ऊर्जा संगम में बोलते हुए (ऊर्जा के विषय पर मीटिंग) उन्होंने उन लोगों का आहवान किया जो इस बात की क्षमता रखते हैं कि वह अपने LPG कनेक्शन की सबसिडी उन लोगों को समर्पित करें जिनके घरों में LPG चूल्हे नहीं हैं। साथ ही उन्होंने कहा कि 2.8 लाख लोगों ने इसका सकारात्मक जवाब दिया था और इससे कम से कम 100 करोड़ रुपयों का फायदा होगा, जिसका गरीबों के लिए उपयोग किया जाएगा।

लाल बहादुर शास्त्री के बाद ऐसा पहली बार हुआ होगा कि नागरिकों से राष्ट्रीय हित में एक छोटा सा त्याग करने के लिए कहा गया होगा। स्वर्गीय लाल बहादुर शास्त्री ने अमीर भारतीयों से आग्रह किया था कि वह खाने की कमी को देखते हुए दिन में एक बार के खाने का त्याग करें, ताकि हर जरूरतमंद तक भोजन पहुँच सके। उनके उत्तराधिकारी ने लोगों से कहा कि वे खाने के ईंधन पर जो अनुदान दिया जा रहा है, उसका त्याग करें। यह 'सरल' और 'अधिक से अधिक लोगों के हित का रवैय्या' सार्वजनिक नीतियों पर कम ही लागू किया जाता है।

इसका आधार था वर्तमान 'पहल' योजना जो प्रत्यक्ष हस्तांतरित लाभ का पर्यायवाची शब्द है। इसे जून 2013 में शुरू किया गया। इसके अंतर्गत LPG अनुदान प्राप्त करने के लिए आधार नंबर होना जरूरी है। बाद में इसमें बदलाव लाया गया और इसे उपभोक्ताओं के लिए सुसंगत किया गया और इसे नवंबर 2014 में 54 जिलों में फिर से शुरू किया गया। बाद में, उसे देश के अन्य भागों तक ले जाया गया। 'पहल' का मुख्य उद्देश्य था कि LPG अनुदान को उद्योग की ओर न मोड़ दिया जाए।

LPG पर अनुदान सरकारी कोष पर बढ़ता हुआ बोझ था। कई उपभोक्ताओं को पता भी नहीं था कि LPG पर सबको अनुदान मिलता है शायद इसलिए कि वह घरों में सस्ते दाम पर पहुँचाया जाता था। इस अनुदान को त्यागने की बात हुई ही नहीं थी और इसलिए यह लोगों के दिमाग में थी ही नहीं। एक उपभोक्ता के पास अनेक कनेक्शन होते थे और वह ऐसे कनेक्शंस का व्यावसायिक उपयोग करते थे। एक बहुमूल्य संसाधन की बर्बादी हो रही थी।

'कच्चे तेल और प्राकृतिक गैस' का मंत्रालय चाहता तो जबरदस्ती का तरीका अपना सकता था जैसे 'सार्वभौमिक' अनुदान के बदले 'नियोजित' अनुदान, लेकिन उसने यह बेहतर समझा कि वह लोगों की सामाजिक चेतना को सम्बोधित करे और लोगों ने उसकी अच्छी प्रतिक्रिया दी। रवैय्ये में जो फर्क था वह स्पष्ट था; 'पहल' का स्वरूप अनिवार्य था जिसका उद्देश्य था LPG अनुदान के दुरूपयोग को रोकना और 'गिव इट अप' स्वैछिक योजना थी जिसका उद्देश्य था उन नागरिकों को आमंत्रण देना जिससे कि वह स्वैछिक रूप से LPG अनुदान का त्याग करें, ताकि गरीबी रेखा से नीचे रहने वालों को लाभ पहुंचे।

पूर्व प्रधानमंत्री लाल बहादुर शास्त्री ने 'यज्ञ' की सोच को टटोला था जो एक जटिल सच है, जिसका अर्थ है समाज की भलाई के लिए अपने 'व्यक्तिगत भले' को त्यागना और इस तरह अपने को संतुष्ट करना। पंडित दीनदयाल उपाध्याय ने इस बात को 1965 में दिए अपने प्रसिद्ध भाषणों, 'इंटीग्रल ह्युमनेनिस्म' में रेखांकित किया- और इस बात की ओर ध्यान आकर्षित किया कि जब 1962 में चीन ने भारत पर हमला किया था तो सभी भारतीय एक हो गए थे और उनके आत्म-सम्मान में इजाफा हुआ था।

प्रिंट और इलेक्ट्रॉनिक मीडिया के माध्यम से एक बड़ा अभियान चलाया गया था ताकि 'गिव इट अप' को बढ़ावा मिले। सिनेमा जगत के सुपरस्टार,

अमिताभ बच्चन को इसमें संलग्न करके यह कोशिश की गई कि वह भारत के नागरिकों को इस बात के लिए तैयार कर सकें कि वे उनका अनुसरण करें और अपने अनुदानों का त्याग कर दें। सोशल मीडिया में उन लोगों की बहुत सारी ट्वीट्स आई जिन्होंने यह निश्चय किया था कि वह मिल रहे अनुदान को छोड़ देंगे।

कमजोर वर्गों की जरूरतों को पूरा करने के उद्देश्य से शुरू 'गिव इट अप' अभियान को उज्ज्वला योजना के साथ जोड़ा गया ताकि उन परिवारों को खाने की गैस के कनेक्शन मिल सकें जिनके पास यह नहीं थे। उपभोक्ताओं ने और अधिक से अधिक उन गरीबों के लिए रसोई गैस की लागत को सब्सिडी देने के लिए बात जानी थी जो एक एलपीजी कनेक्शन की उच्च प्रारंभिक लागत वहन नहीं कर सकते थे। प्रभावी रूप से 'पहल' अनुदान हस्तांतरण योजना एक संस्थागत तरीका है जिससे बचे हुए अनुदानों को लाभार्थियों के बैंक खातों में क्रेडिट किया जाता है। वर्तमान में 'पहल' ऐसे काम करता है- जिसे भी अनुदान चाहिए होता है वह अपना LPG कनेक्शन अपने आधार नंबर और बैंक खाते से जोड़ देता है। आधार भुगतान का पुल फिर इस जानकारी को लेकर बचे हुए अनुदान को उसके द्वारा उल्लेखित बैंक खाते में, LPG के थोक व्यापारी को हस्तांतरित करता है।

जैसा कि उद्देश्य था घरेलू उपयोग के लिए जो अनुदान व्यावसायिक स्थापनाओं पर उपयोग किया जा रहा था, वह समाप्त हो गया। उन सभी के नाम डेटाबेस पर आ गए जिनके नाम पर अनेक कनेक्शन थे और जो सभी अनुदान प्राप्त कर रहे थे। यह देखते हुए कि अनुदान केवल घरेलू उपयोग के लिए दिया जा रहा था, इसलिए एक व्यक्ति का दोहरे या उससे भी अधिक अनुदान पर कोई हक नहीं था। इस प्रकार दो-दो अनुदानों पर रोक लगाई गई।

हजारों उपभोक्ताओं को प्रधान मंत्री के धन्यवाद पत्र प्राप्त हुए जिनमें उन्हें अपने अनुदानों को त्याग करने के लिए आभार प्रकट किया गया। ये पत्र एक लकड़ी के पट्टे पर खूबसूरत तरीके से उकेरे गए हैं जिन पर लिखा है, "जितना आपको आश्चर्य हो रहा होगा यह पत्र मिलने पर, शायद उससे ज्यादा मुझे खुशी हो रही है इसे लिखने में...आप लोगों ने सबके सामने एक उदाहरण रखा है कि यदि एक साधारण नागरिक भी चाहे तो वह देश और समाज के लिए अपना कर्तव्य निभा सकता है। अनुदान का त्याग करके

आपके जैसे एक करोड़ से अधिक परिवारों ने देश को नई दिशा दिखाई।

पत्र में उनके त्याग की और सराहना की गयी है: जब कोई वस्तु त्याग करके पाई जाती है तो संतुष्टि अधिक होती है...अनुदान त्याग करने का आपका निर्णय न केवल एक गरीब परिवार में कनेक्शन देगा, बल्कि लकड़ी के चूल्हे के खतरनाक प्रभावों से भी इस धरती को बचाएगा। धरती माँ आपको रोज आशीर्वाद देगी।

देश भर के LPG विक्रेताओं ने उपभोक्ताओं की तसवीरें पोस्ट कीं जिनमें वे प्रधान मंत्री कार्यालय से आभार नोट प्राप्त कर रहे थे। इसका असर यह हुआ कि और लोगों ने भी निर्णय लिया कि वह भी अपने अनुदान का त्याग करेंगे। कच्चे तेल और प्राकृतिक गैस के मंत्रालय द्वारा जारी आंकडों के अनुसार 28 जुलाई 2015 तक करीब 14 लाख उपभोक्ताओं ने स्वैछिक रूप से अपना अनुदान वापस कर दिया था, 1 वर्ष में यह संख्या 105 लाख हो गयी थी और फरवरी 2017 तक यह 120 लाख थी।

उज्ज्वला के लम्बे समय के स्वास्थ्य, पर्यावरण और आर्थिक लाभ हैं। लकड़ी के चूल्हों से निकलने वाला धुंआ हमारे फेंफड़ों को खत्म कर देता है और हम अनेक बीमारियों के शिकार हो सकते हैं जैसे निमोनिया, फेंफड़ों की बीमारी, आदि। कामगारों के दृष्टिकोण से यह ईंधन की बर्बादी भी है। महिलाएं खाना पकाने के ईंधन की तलाश में लंबा और कठिन समय बिताती हैं। लकड़ी की खोज में वन नष्ट होते हैं और जैव-ईंधन के जलने से वायु प्रदूषण होता है और ग्रीन हाउस गैस पर्यावरण में छोड़ी जाती हैं।

अधिकांश गरीब घर सिलिंडर और उसके रेगुलेटर का खर्च उठाने में असमर्थ होते हैं। उज्ज्वला योजना उनसे बिना कोई डिपाजिट लिए कनेक्शन प्रदान करती है और 2000 रुपयों के अनुदान के अलावा, परिवार की सबसे बुजुर्ग महिला को एक समय के 1600 रुपए दिए जाते हैं। लाभार्थियों की पहचान 'सामाजिक-आर्थिक समुदाय जनगणना' की सूची से होती है। यह सूची ग्रामीण विकास मंत्रालय द्वारा दी जाती है। दूसरी शर्त यह होती है कि परिवार के अन्य कोई भी सदस्य के नाम कनेक्शन नहीं होना चाहिए। उस महिला को बिना ब्याज का ऋण दिया जाता है जिससे वह स्टोव और पहला भरा हुआ सिलिंडर खरीद सके। ऋण की वसूली उस अनुदान से होती है जब वह सिलिंडर खरीदती है। कुछ राज्यों ने मुफ्त के स्टोव दिए हैं।

कार्यक्रम का क्रियान्वयन इस बात पर बहुत निर्भर करता है कि तेल कंपनियों के कर्मचारी और वितरक कैसा काम कर रहे हैं। योजना का इलेक्ट्रॉनिक और सोशल मीडिया में बहुत प्रचार किया गया था। इसलिए कि लाभार्थियों को पहचाने का काम उनका था। इन अधिकारियों के सामने कई बार ग्रामीण की टूटी सड़क सबसे बड़ा रोड़ा होती है। इसीलिए सिलिंडर को देने में दिनों या हफ्तों का विलम्ब हो जाता है। इसलिए सार्वजनिक क्षेत्र की इकाइयों ने अपनी वितरण की प्रणालियों में बदलाव किए ताकि ग्रामीण उपभोक्ताओं को दिक्कतें न आएं।

लक्ष्य काफी बड़े रखे गए हैं: तीन वर्षों में 5 करोड़ स्वच्छ कनेक्शन, 2016-17 से शुरू, इस वर्ष का लक्ष्य था एक करोड़ पचास लाख उपभोक्ता, जबकि 19 करोड़ 8 लाख लोगों को इसका लाभ मिला। यदि हम साधारण कनेक्शंस और उज्ज्वला के अंतर्गत जारी किये गए कनेक्शंस को जोड़ दें तो यह संख्या 32 करोड़ 50 लाख की हो जाती है। अर्थात् इतने लोग लाभान्वित हुए। यह संख्या चौंकाती भी है और आश्चर्य से भरती भी है। इस प्रकार, 1 अप्रैल, 2016 और 1 अप्रैल, 2017 के बीच उपभोक्ताओं की संख्या में 61 फीसदी की बढ़ोतरी हुई।

कई बार केवल आंकड़ों से पूरी तस्वीर सामने नहीं आती, इसलिए मंत्रालय के अधिकारियों ने तय किया कि वह एक छोटा सा सर्वेक्षण करेंगे जिससे पता चलेगा कि योजना का क्या प्रभाव हुआ है। जिन महिलाओं से पूछा गया उनका कहना था कि उन्हें अनेक फायदे हुए हैं, जैसे धुंए से बचाव, खाना बनाने के समय में आई कमी से परिवार में उनकी हैसियत भी बढ़ गई थी क्योंकि कनेक्शन उनके नाम पर मिला था। यह कितना सरल तरीका था। महिला सशक्तिकरण केवल नारा नहीं रह गया था। इसे प्रमाणित होते देशवासियों ने देखा।

'गिव इट अप' अभियान अभी से सार्वजनिक विश्लेषकों के लिए अध्ययन का विषय बन गया है, जिनमें से एक ने इसे जन-परोपकार को बढ़ावा देने के लिए वाले 'नज' टूल के नाम से काम आने वाले के रूप में वर्णित किया है। डिजिटलीकरण ने रिसावों को रोकने में मदद की जिससे लाभार्थियों को अधिकार के हस्तांतरण को सुनिश्चित करने में मदद मिली, जबकि # 'गिव इट अप' ने एक सामूहिक दायित्व की भावना जगाई है

और भारत के प्रत्येक नागरिक को राष्ट्र-निर्माण में एक सक्रिय भागीदार बनाया है।

सन्दर्भ:

1. http://twitter.com/narendramodi/status/581465524745342976 (Posted on 27 March 2015)
2. http://indianexpress.com/article/india/india-others/pm-modis-appeal-to-the-richgive-up-subsidised-lpg/ (Updated on 27 March, 2015)
3. http://petroleum.nic.in/dbt/whatisdbrl.html
4. http://timesofindia.indiatimes.com/india/PM-Modi-lends-personal-touch-to-LPG-subsidy-saving-campaign / article show /53687D14cm: (Published on 13 August 1016)

अध्याय 12

कौशल विकास

भारत के पास अद्‍भुत सांख्यिकी है, लेकिन चुनौती यह है कि इसका सही तरीके से उपयोग किया जाए। भारत के इंजीनियरिंग और प्रौद्योगिकी के कॉलेजों में 50 लाख से अधिक विद्यार्थी पंजीकृत हैं, लेकिन उनमें से ऐसे बहुत कम हैं जिनके पास वह प्रायोगिक कौशल हो जो भारतीय उद्योग को चाहिए होते हैं। विद्यार्थियों के अभ्यासिक ज्ञान और मुश्किलों का हल निकालने की क्षमता बढ़ाने के लिए केंद्र सरकार के पास एक बिलकुल नई सोच आई– 'स्मार्ट इंडिया हैकथॉन'। पहली बार हजारों युवाओं की सकारात्मक और रचनात्मक शक्तियों का प्रयोग सार्वजनिक हितों के लिए किया गया।

यह युवाओं को अभ्यासिक मुश्किलों का हल निकालने में संलग्न करता है। यह दो कारकों पर आधारित है: 'मिल-जुल कर अनुसन्धान करना' और 'रचनात्मक कार्यों को बढ़ावा' देना तथा भारत के प्रतिभाशाली युवकों के कौशल को टटोलना। भारत में 10,000 से अधिक प्रौद्योगिकी की संस्थाएं हैं और लोगों के पास अनेक हुनर और प्रतिभाएं हैं। लेकिन सर्वेक्षणों से पता चला है कि इनमें से दो-तिहाई छात्रों को आसानी से काम नहीं मिलता। उद्योग के व्यवसाइयों का कहना है कि वह असली जिन्दगी की मुश्किलों का हल निकालने में असमर्थ होते हैं। अधिकांश छात्र पाठ्यक्रम को पूरा करने के लिए कम से कम 6 महीने लगाते हैं। लेकिन इनमें से अधिकांश कक्षा में किये गए अभ्यास बनकर रह जाते हैं और उनकी 'रचनात्मकता', 'निर्णय लेने की क्षमता' और 'प्रबंधन के कौशलों' को चुनौती नहीं मिलती। ऐसा नहीं है कि तकनीक को लागू करने के अवसर नहीं मिलते-चाहे वह मुद्दा समुदाय का हो, शासन का या उद्योग का। बात यह है कि छात्रों को अभ्यासिक कामों पर ध्यान देने के लिए प्रोत्साहित नहीं किया जाता।

छात्रों की संख्या को देखते हुए, कुल मिलाकर 41,00,000 लोगों का वर्षों का उद्यम' ऐसे कामों में लग जाता है जिनका कोई खास निष्कर्ष नहीं निकलता। जो युवा हैं, वे न तो आलसी होते हैं न ही उनमें कौशल की कमी होती है। उनके पास केवल वह परिवेश नहीं होता कि वह 'दिमाग के औजार' विकसित करें। जो विदेश चले गए हैं उनमें से कई विश्व-भर में यह साबित कर चुके हैं कि भारत के इंजीनियर किसी से कम नहीं हैं और उन्हें जिस चीज की जरुरत है वह केवल 'अवसर' हैं और थोड़ा सा मार्गदर्शन।

इसलिए, एक तरफ सरकारी संस्थाएं बहुत सारी तकनीकी मुश्किलों का सामना करती हैं जिससे योजनाएं नहीं शुरू हो पातीं, और संसाधन बर्बाद होते हैं या सेवाओं को देने में बाधाएं आती हैं। दूसरी तरफ प्रतिभा का एक बड़े हिस्से का इस्तेमाल ही नहीं हो पाता।

मानव संसाधन मंत्रालय ने यह सोचा कि समाधान निकालने वालों और समाधान की तलाश करने वालों को एक साथ एक मंच पर लाया जाए। हमारे पास जो प्रतिभा है उसे छात्रों की मुश्किलों को सुलझाने के लिए प्रयोग किया जा सकता है। युवाओं को ठोस लक्ष्य दिए जाएंगे कि वह नए उत्पाद और नई तकनीक बनाएं।

स्मार्ट इंडिया हैकथॉन 2017 की शुरुआत इन सबकी सहायता से की गई- i4c, My Gov, परसिस्टेंट सिस्टम्स, और नैसकॉम। एक हैकथॉन जहां, समय-बद्ध प्रक्रिया है जिसमें तकनीक की जानकारी रखने वाले व्यक्ति, जैसे डिजाइन इंजीनियर, सॉफ्टवेयर डेवलपर, प्रोजेक्ट मैनेजर, विषय-विशेषज्ञ, आदि, एक साथ होते हैं और कुछ नया उत्पाद ईजाद करते हैं। यह उत्पाद कोई वेबसाइट, मोबाइल एप्प, वीडियो गेम, म्यूजिक सॉफ्टवेयर या रोबोट, आदि हो सकता है। यहाँ 'हैक' का अर्थ है रचनात्मक प्रोग्राम बनाना और गोपनीय साइट्स से दूर रहना।

हैकथॉन ज्यादातर एक दिन से लेकर एक हफ्ते तक चलते हैं और काफी स्पर्धात्मक होते हैं। यह विश्व-भर में प्रचलित हो गए हैं, और जल्दी के सॉफ्टवेयर समाधान प्रदान करते हैं और व्यक्ति के हुनर और रूचि को देखते हुए, एक सोच के इर्द-गिर्द डेवलपमेंट टीम्स बनाई जाती हैं। अधिकांश युवाओं के लिए 'हैकफेस्ट्स', शैक्षिक या समुदाय को बनाने के अभ्यास होते हैं और इसका अतिरिक्त लाभ यह होता है कि ऐसे उत्पाद बनाए जाते

हैं जो उपयोगी होते हैं या जिनका उपयोग आसानी से किया जा सकता है।

कुछ लोगों के लिए, जैसे रवि सुहाग, जो भारत के अपने हैकथॉन के महारथी, यह बहुत ही लत लगने वाली चीज है। 27 वर्ष के इस युवा ने 16 में से 14 हैकथॉन जीते हैं और इन्हें 'फेस्टिवल ऑफ इनोवेशन' का सम्मान दिया गया था अपने उस काम के लिए जिसमें उन्होंने सार्वजनिक इमारतों में प्रविष्टि को डिजिटल रूप दिया–एक ऐसा वेब मंच बनाकर जिसने हाथ से दिए गए टिकटों को प्रतिस्थापित किया। रवि, गुडगाँव में स्थित एक इंजीनियरिंग कॉलेज के छात्र रह चुके हैं।

समर्थ इंडिया हैकथॉन की बनावट अंतरराष्ट्रीय हैकफेस्ट्स के आधार पर की गई है, लेकिन इसमें जो मुद्दे हैं उनका दायरा काफी विस्तृत है। जबकि लम्बे समय का उद्देश्य था नवीनता को प्रोत्साहित करना और नई सोच लाना, उम्मीद थी कि तुरंत फायदा यह होगा कि 'स्टार्ट अप इंडिया और मेक इन इंडिया के अभियानों को एक दिशा मिलेगी। इसलिए स्पर्धा का केंद्र था– 'सामाजिक महत्व के मुद्दे' और 'केंद्र सरकार के विभाग'। मानव संसाधन मंत्रालय उम्मीद करता है कि कुछ समय की अवधि में यह छात्रों के बड़े समुदाय के लिए एक संस्थागत तरीका बन जाएगा जिसके द्वारा उनकी तकनीकी विशेषता का लाभ उठाया जा सकेगा और वह शासन के सुधार के कामों के लिए पैसा एकत्र करने के मंच बन जाएंगे।

'आल इंडिया कौंसिल फॉर टेक्निकल एजुकेशन', 'AICTE' को यह काम सौंपा गया कि वह भारत के सभी कॉलेजों तक पहुंच प्राप्त करे, जबकि MyGov ने उस मंच की मेजबानी की जिस पर 5 मंत्रालयों और विभागों ने अपनी मुश्किलें रखीं। इन मंत्रालयों ने कुल मिलकर 98 समस्याओं को सामने रखा। जिन टीमों की रूचि थी, वह वेबसाइट पर देख सकते थे कि उन्हें किस मुश्किल को सुलझाने में रूचि है।

छात्रों की पहुँच ऑनलाइन भी थी और ऑफलाइन भी। एक अलग भाग बनाया गया जिसका नाम दिया गया 'स्टूडेंट्स वौइस'; यह उन टीमों के लिए था जो शासन की उन मुश्किलों पर काम करना चाहते थे जो कोई भी मंत्रालय नहीं कर रहा था। स्मार्ट इंडिया हैकथॉन 2017 में कुल 17 फेसबुक चर्चाएं कराई गई और 26 कार्यशालाओं का आयोजन किया गया, ताकि देश के सभी छात्र इसमें भाग लेने के लिए प्रोत्साहित हों।

स्मार्ट इंडिया हैकथॉन 2017 का पहला चरण ऑनलाइन हुआ। दूसरा चरण या अंतिम चरण एक ऑफलाइन स्पर्धा थी। ऑनलाइन चरण में छात्रों की टीमों से कहा गया कि वह भाग लेने वाले मंत्रालयों द्वारा दी गई सूची में से किसी भी मुश्किल का चयन करें और एक प्रेजेंटेशन बना कर दें जिसमें वह उस मुश्किल को सुलझाने का तरीका उजागर करें। करीब 2,150 संस्थाओं की 6 सदस्यों वाली 7530 टीमें आई, जिसका अर्थ है करीब 40,000 छात्र।

हिस्सा लेने वाली अधिकांश टीमें तमिल नाडु और महाराष्ट्र से थीं, इसके बाद थे आंध्र प्रदेश और कर्नाटक। अधिक जन-संख्या वाले राज्यों में से बिहार की सबसे कम टीमें थीं- झारखण्ड से भी कम। जिन मुश्किलों को सबसे अधिक प्रतिक्रियाएं प्राप्त हुई वह थीं, AICTE और रोड और यातायात मंत्रालय, रेलवे, ग्रामीण विकास और पर्यटन और सिविल एविएशन के मंत्रालय।

300 आंकलन-कर्ताओं ने कम से कम दो बार प्रत्येक आईडिया की समीक्षा की और अंतिम राउंड के लिए 1,288 टीमों को चुना। टीमों की संख्या में महाराष्ट्र और तमिल नाडु सबसे आगे थे, इसके बाद आया आंध्र प्रदेश और फिर था उत्तर प्रदेश। स्पर्धा में भाग लेने वाली टीम की दृष्टि से सबसे अच्छा हिट रेट अंडमान और निकोबार द्वीप समूह का था, क्योंकि दो में से एक टीम अंतिम सूची में आ गई!

36 घाटों की इस स्पर्धा को भारत के 26 शहरों में आयोजित किया गया। यह सुनिश्चित करने के लिए की छात्रों की टीमें अच्छे उत्पादन दें, 35 आंकलन सत्रों का आयोजन किया गया ताकि सभी टीमों के प्रश्नों का समाधान हो सके। इसके अलावा, 11 ऑनलाइन प्रशिक्षण के चरण हुए। दो मार्गदर्शक जिनका इनफार्मेशन टेक्नोलॉजी के क्षेत्र में बड़ा अनुभव था, प्रत्येक टीम को नियुक्त किये गए (कुछ टीमों के पास वे नहीं थे) ताकि वह सबसे बेहतर हल निकाल, या बना सकें।

ग्रैंड फिनाले में अपने आईडिया को सफलतापूर्वक दर्शाकर 135 टीमें पहुंचीं। 30 विजेता रहे और 31... 32 दूसरे नंबर पर आए। परसिस्टेंट इन्सपीरेशन अवार्ड के लिए 26 टीमें और 'डेलॉइट इनोवेशन अवार्ड्स' के लिए 19 टीमें पास हुई।

डेलॉइट के विजेताओं में से एक टीम नागपुर से थी। उनका सवाल था हवाई अड्डों में शौचालयों में गन्दा पानी। इसका जो हल निकाला गया वह था एक स्वचालित शौचालय जिसकी निगरानी और सफाई स्वचालित प्रणाली

द्वारा हो। और हल देने वाले थे 'रईसोनी इंजीनियरिंग कॉलेज' के छात्रों का एक समूह और उनके प्रमुख थे कुणाल बोधि।

चेन्नई के एक समूह ने इस समस्या के लिए सम्मान जीता जिसमें उन्होंने इस बात का हल निकाला कि कैसे अनेक लोगों द्वारा प्रयोग में लाये जाने वाले सीमित दस्तावेजों पर नजर रखी जाए और इस बात की जानकारी रखी जाये कि कौन-कौन उनका इस्तेमाल कर रहे है और जानकारी बाहर आने से रोकी जाए। हल था फाइलों को एन्क्रिप्टिंग करना ताकि उनको केवल एक विशेष सॉफ्टवेयर के द्वारा डेक्रिप्टेड किया जा सके, जिसे DOCurator कहते हैं। यह हल निकालने वाले थे 'हैकर टुप्स' राजलक्ष्मी इंजीनियरिंग कॉलेज के छात्र थे और इनके लीडर थे, चाहत अग्रवाल।

एक अन्य टीम ने चुनौती ली कि वह एक ऐसा तरीका निकालेंगे जो यह बताएगा कि 'वैकल्पिक दवाइयों' की प्रणाली में कौन सा चिकित्सकीय पौधा किस भौगोलिक क्षेत्र में पाया जाएगा। हल था एक ऐसा सॉफ्टवेयर जो उसकी पत्ती की तस्वीर का प्रयोग करते हुए पौधे की बनावट को डाटा से जोड़ता है और यह जानने के बाद कि वह किस क्षेत्र की है। इसका हल दिया 'पदपज-6' ने जो सम्पत कॉलेज ऑफ इंजीनियरिंग, नाशिक की अंतिम-वर्ष के कंप्यूटर इंजीनियरिंग छात्रों की एक टीम है। टीम का नेतृत्व 'प्रभंजन वी पाधेय' कर रहे थे।

उन छात्रों के लिए जो समय से साथ लड़ाई लड़ रहे थे, यह बहुत ही तनावपूर्ण अनुभव था, जिसके बाद उन्हें विजय हासिल हुई। अरुण जो साइबर फोर्स टीम के लीडर हैं, उन्होंने रक्षा मंत्रालय के लिए एक सुरक्षित कापियर मशीन का आईडिया सोचा और अपने अनुभव का वर्णन इस प्रकार किया, "अन्य भागीदारों के साथ एक साथ एक हाल में बैठे हुए हम लोग बहुत उत्साहित थे और हमने टीम के लिए जैसे काम करना शुरू कर दिया और पूरी रात काम करते रहे...सभी गलतियां दूर कीं और प्रोजेक्ट समाप्त किया...फिर हम अंतिम निर्णय के लिए बिलकुल तैयार थे, जब हमारा एक कंप्यूटर क्रैश हो गया जिसमें सभी प्रोजेक्ट फाइल्स थीं, हमारी किस्मत अच्छी थी कि हमारे पास इसकी एक प्रति और थी, हमने अपने प्रोजेक्ट को दूसरे कंप्यूटर पर लोड किया और सफलतापूर्वक अपना प्रदर्शन दिया।

छात्रों का कहना था कि इनाम मिलना बहुत कमाल की चीज होती है, परन्तु यह अनुभव अपने आप में एक पुरस्कार था...। क्वार्क्स और लेपटॉप ने पर्यावरण मंत्रालय के लिए हवा की शुद्धतता मापने के लिए एक सस्ती और पोर्टेबल प्रणाली बनाई जिसके लिए उसे 'डेलॉइटे इनोवेशन अवार्ड' दिया गया और इस अवसर पर उन्होंने अपने भाव व्यक्त किये, "अंतिम समय हमारी जिन्दगी के सबसे डरावने 4 मिनट थे..फिर हमें एहसास हुआ कि हम जीत गए थे...हम बहुत ही खुश थे...हमने एक दूसरे के हाथ पकड़े और हम संतुष्ट थे कि चाहे हम नहीं भी जीतें, हमें इस बात की खुशी थी कि सरकार ने हमें एक अवसर दिया था कि हम अपनी आरामदायक जिन्दगी से बाहर आएं और देश के लिए कुछ करें। न केवल हमारा प्रयत्न, बल्कि जो ज्ञान हमें मिला और जो मजा हमें आया, वह हमें जिन्दगी-भर याद रहेगा। यह रात कभी न भूलने वाली रात थी'।

हैकथॉन ने जिन अन्य मुद्दों को सम्बोधित किया वे थे 'ड्रोन्स', जो बिना मनुष्य के हवाई-रोबोट्स होते हैं और निषिद्ध क्षेत्रों में घुस जाते हैं। नवप्रवर्तक टीम ने एक GFB प्रस्तुत किया या जिसे जिओ-फेंसिंग बॉक्स कह सकते हैं जो हार्डवेयर प्रणाली पर आधारित होता है और जो GPS तकनीक के प्रयोग से ड्रोन के ऊपर भारी पड़ सकता है यदि ड्रोन वर्जित क्षेत्र में घुस जाए।

अनेक समूह सामाजिक नवीनताएँ लेकर आए ताकि उन समुदायों की मुश्किलें हल कर सकें जो सुविधाहीन हैं। उदाहरण के लिए, 'ब्लैक पर्ल्स' टीम यह सोच लेकर आई कि उन बच्चों को पढ़ाया जाए जिन्हें सुनने में दिक्कत होती है, क्योंकि वर्तमान शैक्षिक अवसंरचना ऐसे व्यक्तियों की मदद नहीं कर पाती। उन्होंने एक एप्लीकेशन इंटरफेस बनाया जो 'भारतीय चिह्न भाषा' पर आधारित है जो बोले हुए शब्दों को चिह्न की भाषा में और इसके विपरीत भी परिवर्तित करेगा।

ग्रामीण उन्नत टीम ने उन सेल्फ हेल्प ग्रुप के समक्ष आ रही मुश्किलों को हल करने का सोचा जो उद्यमी हैं, लेकिन जिन्हें विकास के अवसर नहीं मिलते क्योंकि उनके उत्पादों और सेवाओं का बाजार उनके क्षेत्र तक सीमित होता है और मांग और आपूर्ति की जरूरतें बहुत सीमित होती हैं। छात्रों ने एक कम्प्यूटरीकृत परितंत्र प्रणाली बनाई जिसके माध्यम से इंटरनेट कनेक्शन

या स्मार्ट फोन के बिना भी वह सेल्फ हेल्प ग्रुप्स, खरीदार और विक्रेता तक पहुँच पा सकते थे। आउटपुट को साथ लाकर एक क्षेत्र के सेल्फ हेल्प ग्रुप्स, निवेशकों और खरीदारों को आकर्षित कर पाएंगे।

एक विचार, जिससे शहरों में अपराध कम हो सकते हैं 'टीम मिन्स्की' से आया। इसमें कहा गया कि आर्टिफीशियल इंटेलिजेंस की एक प्रक्रिया है जो CCTV कैमरे की आपराधिक घटना या दुर्घटना की तस्वीर को प्रोसेस करके सबसे नजदीकी पुलिस स्टेशन या आपातकालीन सेवाओं को एक फोन करके चेतावनी दे सकती है। अपराध के विरुद्ध एक अन्य सोच 'स्मार्टवेयर' टीम की थी, इनका कहना था कि महिलाओं और बच्चों को कोई खतरा नजर आने पर GIS आधारित सुरक्षा के कपड़े पहनने से वे सुरक्षित रह सकते हैं।

सबसे अनोखा आईडिया था 'फ्रीक गीक्स' नाम की टीम का, जिन्होंने एक वीडियो गेम बनाया ताकि 'स्ट्रोक' के बारे में लोगों की जागरूकता बढ़े। यह भारत में मृत्यु और अपंगता का एक प्रमुख कारण है। यदि स्ट्रोक के मरीज को समय रहते चिकित्सकीय मदद मिल जाए तो वह बच सकता है। जो रक्त जम जाता है, उसे तरल बनाकर फिर से प्रभावित करना होता है और यदि चिह्नों के नजर आने के 5 घंटों के अंदर इलाज मिलना शुरू हो जाए तो मरीज बच सकता है, लेकिन अधिकांश मरीज इन चिह्नों को पहचान नहीं पाते और उनका इलाज नहीं हो पाता। इस खेल का नाम 'स्ट्रोक रनर' रखा गया है और खिलाड़ी को मोटापे से और शराब जैसी आदतों से बचना चाहिए और 'बॉस' से दूर रहने के लिए अलग अलग चरणों को पार करना चाहिए। यदि बॉस ने उसे पकड़ लिया तो उसमें स्ट्रोक के चिह्न दिखाई देने लगेंगे और उसे इलाज करने के लिए एक हॉस्पिटल में दाखिला लेना पड़ेगा।

यह और ऐसे अन्य डिजाइन अब कार्यकारी नमूनों में बदले जाएंगे। स्मार्ट इंडिया हैकथॉन में अगला कदम होगा इन डिजाइन को लागू करने के लिए इन्हें योजनाओं का रूप देना। इसके लिए टीम से कहा गया है कि वह दिसंबर 2017 तक योजनाओं के प्रस्ताव बनाएं (जिन्हे सम्बंधित विभाग से फंड्स प्राप्त होंगे) उसके बाद, सरकारी एजेंसी हल का परीक्षण कर सकती है और उसका उपयोग कर सकता है। वह मुश्किलें जिन्हें हैकथॉन ने सम्बोधित नहीं किया, उन्हें सभी इंजीनियरिंग कॉलेजेस के कम्प्युटर

विज्ञानं विभाग को भेजा जा रहा है और उनसे निवेदन किया गया है कि उन्हें विद्यार्थियों के प्रोजेक्ट्स के रूप में प्रस्तुत किया जाए जिनके लिए उन्हें क्रेडिट दिए जायेंगे।

कुछ नया सोचने वाले दिमागों का एक समुदाय बनाया जा रहा है ताकि स्मार्ट इंडिया हैकथॉन 2017 के अंतिम चरण के सभी भागीदारों को डिजिटल रूप से जोड़ा जा सके। इस समुदाय में 10,000 छात्र सदस्य हैं और इसकी मेजबानी AICTE और सरकारी एजेंसियों द्वारा की जाएगी और 'उद्योग जगत' को प्रोत्साहित किया जाएगा कि वह उनके समक्ष अपनी मुश्किलें रखे। जैसा प्रधान मंत्री नरेंद्र मोदी ने अंतिम चरण के भागीदारों को बताया, भारत के युवा चाहते हैं की देश की समस्याओं का समाधान हो, वह तेज और विश्वसनीय नतीजे चाहते हैं।

मंत्रालयों और सरकारी विभागों के लिए रचनात्मक हलों की भरमार थी। और जहाँ तक छात्रों की बात है वह ट्रॉफी, प्रमाण-पत्र, नगद इनाम और बहुत सारे मान-सम्मान के साथ घर लौटे। लेकिन इनसे भी ज्यादा जरूरी था कि उन्होंने अपने भावी नियोजकों को यह साबित करके दिखा दिया कि वे अपने हुनर और अपनी कल्पना-शक्ति से प्रेक्टिकल मुश्किलों का हल कर सकते हैं।

हैकर ट्रुप्स का इसके बारे में यह कहना था, "36 घंटो तक एक एप्लीकेशन बनाने के बाद और फिर जीत हासिल करने के बाद हम शब्दों में बयां नहीं कर सकते कि हमें कैसा लग रहा था, यह हमारी नई-नवेली टीम के लिए वाकई में एक अद्भुत अनुभव था। हम में से किसी ने भी पहले किसी हैकथॉन में भाग नहीं लिया था और यह जीत हमारे लिए खास थी।"

संदर्भ

1. https://qz.com/995235/ravi-suhag-indias-most-prolific-hacthon-winner-never-went-to-an-lit-or-other-name-brand-school/ (Published on 13 June2017)
2. http://pib.nic.in/newsite/PrintRelease.aspx?relid=159825 (press Information Bureau, Government of India. Ministry

of Human Resource Development. 23 Match 2017)
3. https://www.mygov.in/hometalk
4. http://ges-coengg.org/2017/04/g-e-ss-t-h-sapat-college-of-engineering-nashik-won-first-prize-in-smart-india-hackthon-2017/ (Published on 6 April, 2017)
5. http://FinalResults.htm
6 http://blog.mygov.in/wp-content/uploads /2017/04/ Winners-details.pdf

अध्याय 13

यात्री (उपभोक्ता) राजा है

रेल ट्विटर सेवा और मेरा डिब्बा साफ

करीब सौ वर्ष पहले पर्याप्त यात्रा कर चुके एक यात्री ने अपने अनुभवों के बारे में लिखा था - मैं तीसरी श्रेणी में सफर करता था जैसा अधिकांश लोग करते थे; ट्रैन के डिब्बे में लोग ऐसे भरे रहते थे जैसे किसी डिब्बे में मछलियों को भर दिया गया हो, हर जगह धूल भरी होती और शौचालय तो हद से अधिक गंदे होते थे, जिनमें पानी नहीं होता था और मक्खियां भिनभिनाती रहती थीं। रेल के अधिकारी अशिष्ट होते थे, यात्रियों को जो खाना-पीना दिया जाता था वह भी अस्वच्छ होता था और देने वाले के हाथ गंदे और स्टेशनों के साथ जो आरामगृह बने होते थे वह भी गंदे होते थे। उनमें शोर बहुत होता था।

यह यात्री और कोई नहीं बल्कि मोहनदास करमचंद गाँधी थे। दक्षिण अफ्रीका से लौटने के बाद वह ढाई वर्ष तक पूरे भारत में यात्राएं करते रहे और साथ ही अपने अनुभवों के बारे में लिखते रहे। उन्होंने तय कर लिया था कि वह ऐसी शिकायत के विरुद्ध लड़ते रहेंगे जिसका निवारण नहीं किया गया था, हालाँकि समस्या ऐसी नहीं थी जिसका निवारण आसानी से हो पाए।

करीब सौ साल बाद रेल मंत्रालय ने भारत में रेल से यात्रा करने की मुश्किलों को पहचाना - रेलों का विलम्ब, भीड़-भाड़, शोर-गुल, अभद्र अधिकारी, गंदे प्लेटफॉर्म और डिब्बे, चोरियां, बदबूदार शौचालय, कॉकरोचों और कीड़े और मक्खियां, आदि की समस्या, चिकित्सा की सेवाओं की कमी। शिकायतों का निवारण तो दूर की बात थी, यात्रियों की शिकायतों को ज्यादातर नजरअंदाज किया जाता था।

भारतीय रेल के दायरे को देखते हुए यह चुनौती बहुत बड़ी थी कि यात्रियों की मुश्किलों को जल्दी से जल्दी दूर किया जाए और उनके सफर को हर संभव तरीके से आसान और आरामतलव बनाया जाए। देश में प्रतिदिन 23 लाख यात्री रेल से सफर करते हैं प्रतिदिन करीब 12.61 यात्री-गाड़ियां रेलों पर उतरती हैं और 8495 प्लेटफॉर्म्स से गुजरती हैं। इन संख्याओं को देखते हुए, चुनौती बहुत बड़ी थी और मूल परिवर्तनों की जरुरत थी।

ऐसा कैसे किया जाए कि भारतीय रेल का जो अपने ग्राहकों के साथ इतना खराब रिश्ता है उसे सुधारा जाए ताकि वह यात्रियों की शिकायतों को कम से कम सुनें तो सही? रेल मंत्री, सुरेश प्रभु इसका हल लेकर आए और उन्होंने यात्रियों के साथ सीधा संपर्क स्थापित किया। कोई भी यात्री जिसके पास स्मार्ट फोन था वह ट्रेन में सफर करते हुए उन्हें ट्वीट कर सकता था (उस समय 34 करोड़ भारतीयों के पास स्मार्ट फोन थे) उन्होंने यह ट्वीट 26 नवंबर 2015 को 1.41 बजे भेजा और सभी डिविजनल रेलवे मैनेजर्स और विभिन्न जोन के जनरल मैनेजर के ट्विटर हैंडल्स भेजे, ताकि उन्हें शिकायतें भेजी जा सकती थीं।

कुछ घंटों के बाद (सुबह सात बजे) एक नम्रता महाजन नाम की लड़की ने शेगाव स्टेशन से ट्वीट भेजा, जिसमें उन्होंने मदद की गुहार लगाई। उन्होंने अपनी ट्वीट में लिखा कि ट्रेन नंबर 18030 में एक आदमी उन्हें परेशान कर रहा है और वह बहुत डरी हुई हैं। उनका PNR नंबर लिया गया और कुछ ही मिनटों के बाद रेलवे पुलिस फोर्स के जवान ट्रेन में चढ़े और उस आदमी को ट्रेन से नीचे उतार दिया।

करीब एक साल बाद निकिता पोखना के साथ मेवाड़ एक्सप्रेस में करीब वैसा ही हादसा हुआ जब कुछ यात्रियों ने कुछेक लोगों के ट्रेन में शराब पीने पर आपत्ति की तो उन्होंने अभद्रता करते हुए यात्रियों को डराना-धमकाना शुरू कर दिया। निकिता ने ट्वीट करके मदद माँगी और 26 मिनट में सुरक्षा कर्मचारियों ने उन अभद्र पुरुषों को पकड़ कर ट्रेन से नीचे उतारा। अपना धन्यवाद ट्वीट करते हुए, निकिता ने लिखा कि वह सोच भी नहीं सकती थीं कि सरकार का जवाब और प्रतिक्रिया इतनी तेज होगी।

ऐसी अन्य बहुत सारी घटनाएं हैं जिनमें सरकार ने यात्रियों की शिकायतों का तत्काल निवारण किया है। रेल मंत्री भी कोई कसर नहीं छोड़ रहे और लगातार इस दिशा में काम कर रहे हैं। निश्चित ही उनके कदम रेल इतिहास

में अविस्मरणीय रहेंगे। एक 5 महीने के बच्चे के लिए दूध का इंतेजाम करने में, भूखे विद्यार्थियों के लिए खाना और बीमार यात्रियों के लिए चिकित्सा की सेवाएं और व्हील चेयर का प्रबंध करने में सफल हुए। एक बार उन्होंने एक माता-पिता को उनकी खोई हुई लड़की को ढूंढने में मदद की जो अपने सहपाठी के साथ चली गई थी और उन दोनों को नासिक स्टेशन पर पकड़ा गया और अपने अपने माता-पिता के घर भेज दिया गया।

एक ट्वीट आपको मुसीबत से बचा सकती है। एक यात्री अपने डिब्बे में फंस गया। वह इंदौर-पटना एक्सप्रेस नंबर 19321 ट्रेन, में यात्रा कर रहा था। 26 नवंबर, 2016 की घटना है। ट्रेन पटरी से उतर गयी थी। उसने इसके बारे में तुरंत ट्वीट किया और एक बचाव टीम ने उसे बचा लिया।

यात्रियों के ट्वीट्स से रेल की सेवाओं में सुधार हो सकता है। नाइटॉन पॉल जो 29 मई 2016 को असम स्टेशन पर टिकट नहीं ले पा रहे थे, उन्होंने ट्वीट किया कि यात्रियों से निपटने के लिए इतने कर्मचारी नहीं हैं। सम्बंधित DRM ने शिकायत देखी और आधे घंटे में दूसरे स्टेशन से अतिरिक्त कर्मचारियों को भेजा गया। एक और यात्री, मुथुकुमार जानना चाहते थे कि एक ही गंतव्य स्थान तक जाने वाली दो अलग-अलग ट्रेनों के तत्काल टिकटों में पैसों का फर्क क्यों है। उन्हें ऐसा जवाब मिला जिससे वह संतुष्ट हो गए। जब सौरभ ने ट्वीट किया कि ट्रैन नंबर 11123 गोंडा जंक्शन से समय से पहले ही रवाना हो गई तो उन्हें तुरंत दूसरी ट्रैन में सीट दी गई। वरुण गुप्ता ने गंदे बिस्तर के बारे में ट्वीट किया और उन्हें तुरंत एक साफ बिस्तर दिया गया। उन्होंने बाद में ट्वीट किया, "जितनी देर में मैंने चॉकलेट खाई, उतनी देर में मेरी शिकायत दूर हो गई।"

ट्विटर सेवा पारम्परिक तरीकों से अलग है, जैसे शिकायतों की किताब, पात्र, इ-मेल, फोन, आदि जिनसे शायद ही कोई हल निकलता है। अब अधिक यात्रा करने वालों के लिए विकल्प है की वह COMS एप को डाउनलोड करें जो कस्टमर कंप्लेंट वेब पोर्टल का भाग है और जिसे 2 मार्च 2015 को शुरू किया गया। उपभोक्ता इस एप के माध्यम से अपनी शिकायत के बारे में खबर रख सकते हैं। वह अपनी शिकायत या सुझाव www comsrindianrailways gov in पर भेज सकते हैं या उसे 9717630982 पर टेक्स्ट कर सकते हैं।

पीड़ित यात्रियों के पास भी विकल्प है कि वहाँ के केंद्रीय सार्वजनिक शिकायत निवारण और देख-रेख प्रणाली, (CPGRAMS) मंच तक पहुँच स्थापित करें, जो एक ऐसा मंच है जिसे सरकार ने उपभोक्ताओं की शिकायतों के लिए स्थापित किया है। लेकिन यदि वह अपनी शिकायतों का तुरंत निवारण चाहते हैं तो मंत्री को ट्वीट करना या उनके फेसबुक पेज पर पोस्ट करना या रेल मंत्रालय, भारत सरकार को ट्वीट करना अधिक प्रभावी होगा।

यात्रियों की ट्वीट्स से निपटना कोई आसान काम नहीं था। प्रतिदिन करीब 5000 ट्वीट (री-ट्वीट्स मिलाकर) और 400 फेसबुक पोस्ट प्राप्त होते थे। इनमें से करीब 2100 को माना जाता था कि उन पर कार्यवाही होनी चाहिए। इनमें से कितनों को सम्बोधित किया जा रहा था और और शिकायतों का निवारण हो रहा था? क्या ट्वीट्स से निपटने के अलावा और कोई विकल्प नहीं था? यह कैसे सुनिश्चित किया जाए कि जो लोग इन ट्वीट्स से निपट रहे हैं वह अपना काम ईमानदारी से कर रहे हैं? किसी को कुछ नहीं पता था।

कर्मचारी उन ट्वीट्स को एक रजिस्टर में नोट करते थे जिन पर वह कार्य करने की स्थिति में होते थे और बाकियों पर ध्यान नहीं देते थे। इसलिए इस बात का पता नहीं चलता था कि कितनी ट्वीट्स शिकायत होती थीं, कितने सुझाव और कितनी प्रतिक्रियाएं। और यह भी नहीं पता चलता था कि कौनसा मामला कितना जरूरी है या किस तरह के मुद्दे उठाए जा रहे थे। फिल्टर लगाकर जानकारी ढूंढने का कोई जरिया नहीं था, क्योंकि आपको ऐसा करने के लिए हाथ से लिखे रजिस्टरों में ढूंढना पड़ता। या यूँ कहें की यह प्रणाली अक्षम थी।

रेल मंत्रालय ने मदद के लिए आई टी व्यापारियों की ओर नजर घुमाई। उन्होंने एक सोशल कस्टमर रिलेशनशिप मैनेजमेंट टूल (CRM) विकसित किया जो इस काम के लिए सक्षम था और जहाँ सहायता की जरुरत होती थी, अधिकारी तुरंत सहायता प्रदान कर पाते थे। 'डिपार्टमेंट ऑफ एडमिनिस्ट्रेटिव रिफॉर्म्स एंड पब्लिक ग्रीवेन्सेस', (DARPG) के अनुसार रेल मंत्रालय केंद्र सरकार की पहली संस्था थी जिसने यह CRM का उपयोग किया।

CRM उचित ट्वीट्स को पकड़ लेती है और कुछ मुख्य शब्दों के आधार पर उन्हें व्यक्तिगत श्रेणी में बदल देती है। पकड़े जाने के बाद प्रणाली ट्वीट्स

को उनके विषयों के अनुसार श्रेणियों में डालती है और उन्हें सकारात्मक, नकारात्मक या निष्पक्ष की श्रेणी में डालता है। और जिस अधिकारी को भेजी जाती हैं वह उन्हें कार्य करने लायक या नहीं करने लायक करार देता है टिकट खोलता है और ट्वीट पढ़ता है। यदि उसके अनुसार उसमें हस्तक्षेप की जरुरत नहीं है तो टिकट को कार्यवाही लायक नहीं की श्रेणी में डाला जाता है। ट्वीट्स को साधारण, उच्च या अति आवश्यक श्रेणियों में विभाजित किया गया है।

यह अधिकारी सम्बंधित अधिकरण को बताता है कि ट्वीट पर कार्य करने की जरुरत है या नहीं, और इस अधिकरण का कार्य होता है कि वह तुरंत यात्री की मदद करे। उसके बाद, नतीजे के अनुसार अधिकारी टिकट की हैसियत के बारे में लिखता है। उदाहरण के लिए, यदि डिवीजन से अभी कार्य पूरा नहीं हुआ तो हैसियत में आपको दिखाएगा कि वह लंबित है। यदि यात्री से अभी जानकारी या प्रतिक्रिया मिलनी बाकी है तो इस पर लिखा जाता है कि प्रतिक्रिया का इंतजार है। हैसियत नियुक्त करने के अलावा अधिकारी कर्मचारियों और अन्य सदस्यों को टिकट्स हस्तांतरित कर सकते हैं और अपने नोट जोड़ सकते हैं। इस प्रणाली में गुणवत्ता आधारित और संख्या आधारित डाटा उत्पन्न होता है; इस प्रकार स्वचालित प्रणाली से इतनी सारी मुश्किलों का समाधान हो पाता है।

तेज प्रक्रियाओं के लिए एक एसएमएस को CRM के साथ जोड़ा गया है। आपातकालीन स्तिथियों के लिए, एसएम् एस चेतावनी यात्री और सम्बंधित रेल अधिकारी के बीच संपर्क तेज कर देती है।

जैसा पहले भी कहा जा चुका है, इस प्रणाली की एक अन्य विशेषता है कि यह जानकारी को रिकॉर्ड कर लेती है। इस प्रकार शिकायतों /मुश्किलों पर सम्पूर्ण डाटा और सम्बंधित जिला/विभाग तक पहुंच आसान होती है। यह एक एम् आई एस रिपोर्ट्स भी उत्पन्न करता है जो विभिन्न मानदंडों पर आधारित होती हैं, जैसे भौगोलिक क्षेत्र और कार्य (विभाग/मुद्दा) इसलिए आम मुद्दे और कौन सा क्षेत्र कौन से मुद्दों का सामना कर रहा है, किसी अधिकरण की क्या प्रतिक्रिया रही और किस गति से मुश्किलों का निवारण हुआ इन सबका विश्लेषण किया जा सकता है और प्रणाली को बेहतर बनाया जा सकता है।

टिकट आधारित गतिविधि को लेकर ऐसी रिपोर्ट्स बनाई जाती हैं जो मुश्किलों की पहचान करती हैं और नीतियों के बदलाव जैसे कार्य शुरू करती हैं ताकि सेवाएं आसानी से और समय पर दी जा सकें। इन रिपोर्ट्स को साप्ताहिक, पाक्षिक और मासिक आधार पर विभिन्न विभागों के साथ साझा किया जाता है। इसलिए कि सभी गतिविधियां सार्वजनिक रूप से होती हैं, प्रणाली की दक्षता और पारदर्शिता सुनिश्चित होती है। लोगों की प्रतिक्रियाएं रेल प्रशासन को बाध्य करती हैं कि वह समस्याओं का हल करें।

अभी तक जिस बात पर सबसे अधिक टिकट बनाए गए हैं वह हैं रेलों का सामान्य समय पर नहीं चलना, इसके बाद है सार्वजनिक सुविधाएँ, आरक्षण, खाना-पीना, अधिक चार्ज लगने और गंदे शौचालय तथा डिब्बे।

इस योजना ने लोगो को बहुत आकर्षित किया है-यह इस बात से जाहिर होता है कि 27 अप्रैल 2016 को @RailinIndia ट्विटर हैंडल के 10 लाख फॉलोवर थे और 11 दिसंबर 2016 को ये 20 लाख हो गए और 14 नवंबर 2017 को 53 लाख। रेल मंत्रालय के फेसबुक पन्ने पर 14 लाख 'लाइक्स' आ चुकी हैं।

ट्वीट्स के माध्यम से आप केवल 149 अक्षरों में (अब यह 280 हो गए हैं) तुरंत किसी से भी संपर्क कर सकते हैं और रेल यात्रियों के लिए कोई विशेष सहायता मांगने और उसका तुरत निवारण पाने की यह बहुत असरदार नीति है। पर्याप्त अनुभव जुटाने के बाद मंत्रालय का लक्ष्य है कि वह यह स्वचालित प्रणाली जोनल/डिविसनल रेलवे में भी शुरू करे।

CRM सॉफ्टवेयर की बदौलत शिकायतों का विश्लेषण करने से पता चलता है कि यात्रियों के लिए सफाई एक बड़ा मुद्दा है इसलिए 'क्लीन माय कोच' और 'कोच मित्र' सेवाएं शुरू की गई हैं।

डिब्बों को साफ रखना बहुत मुश्किल काम है, क्योंकि यात्राए लम्बी होती हैं, पर्यावरण दूषित होता है और उपयोग बहुत अधिक है और लोगों में स्वच्छता की आदत नहीं है। निरंतर निगरानी करनी पड़ती है इसलिए मशीनी डिपो बनाये गए हैं जहाँ डिब्बों के दोनों छोरों से सफाई हो सके, जहाँ से ट्रेन शुरू होती है और जहाँ समाप्त होती है। जब यात्रा शुरू होती है तो डिब्बा साफ होता है।

लेकिन चाहे वह साफ भी हो, कुछ समय बाद वह गन्दा होना शुरू हो जाता है जब लोग चढ़ना शुरू करते हैं, खाने-पीने का सामान गिरता है और शौचालयों का उपयोग होता है। सफाई-प्रिय यात्रियों के पास अभी तक गन्दगी के बारे में शिकायत रिपोर्ट करने का कोई तरीका नहीं था और डिब्बे की सफाई तो दूर की बात थी। इसलिए एक ऐसी सेवा शुरू की गई जो मांगने पर उपलब्ध करवाई जाती है।

इस प्रकार, इसे 2015 में सभी राजधानी, शताब्दी, दुरंतो और अन्य लम्बी दूरी की गाड़ियों में शुरू किया गया जो यात्रा के दौरान डिब्बों, शौचालयों आदि को साफ करती है। सेवा प्रदाताओं द्वारा उचित सॉफ्टवेयर बनाया गया जो योजना का समर्थन करता है। मार्च 2015 तक प्रणाली को 525 ट्रेनों में लागू किया गया और एक साल बाद इसे 864 ट्रेनों में लागू किया गया। इस योजना के सफलतापूर्वक पूरे होने के बाद रेल मंत्री अपने बजट भाषण में यह घोषणा कर पाए कि 'क्लीन माय कोच' सेवा को पूरे भारत में शुरू किया जाएगा।

यह ऐसे काम करती है: यात्री द्वारा भेजा गया मैसेज सॉफ्टवेयर तक पहुंचता है और उसे एक संतुष्टि कोड भेजा जाता है। साथ ही उस ट्रैन में सफर कर रहे OBHS कर्मचारियों को भी यह मोबाइल नंबर और यात्री के विवरण भेजे जाते हैं जैसे उसका कोच नंबर और बर्थ नंबर। यह कर्मचारी फिर यात्री से संपर्क करता है और सफाई कर देता है। यदि यात्री संतुष्ट होता है तो वह कोड बताता है जिसे वह कर्मचारी एक मैसेज के माध्यम से भेज देता है। इस प्रकार शिकायत का निवारण होता है और मामला बंद हो जाता है। यदि यात्री संतुष्ट नहीं होता तो वह कोड नहीं बताता। क्लीन माय कोच जो स्वच्छ रेल और स्वच्छ भारत अभियान से जुड़ा है और डिजिटल इंडिया से भी, कोच मित्र का भाग है, जिसकी घोषणा वित्त मंत्री ने 2017-18 के बजट भाषण में की थी। यह एक 'सिंगल विंडो इंटरफेस' है जो कोच से सम्बंधित बातों से बारे में है, जैसे सफाई, बिस्तर, पानी, लाइट और वातानुकूलन की समस्याएं। कोच मित्र सेवा को 229 ट्रेनों में शुरू किया जा चुका है और सेवाओं के स्तर पर नजर रखने के लिए आई टी के हस्तक्षेप की योजना है।

रेलवे स्टेशन भी स्वच्छ रेल अभियान के भाग हैं। हाल में तीसरी पार्टी के लेखा-परीक्षण ने पाया कि 16 क्षेत्रों में से साउथ ईस्ट सेंट्रल रेलवे सबसे

साफ जोन है। और बीस सबसे साफ स्टेशन है (हालाँकि इस बात के श्रेय इस बात को भी दिया जा सकता है कि यहाँ 'राधास्वामी सत्संग डेरा' का निवास है जो स्वैछिक सेवा के लिए जाना जाता है) इसके बाद था विशाखापत्तनम, सिकंदराबाद और जम्मू तवी। दिल्ली के हजरत निजामुद्दीन दस सबसे गंदे स्टेशंस में से था और इसमें शामिल थे कानपूर, पुणे, भोपाल, स्यालदाह और रायपुर।

भारतीय रेल की उपभोक्ता सेवाओं में क्रांति की शुरुआत हो गयी है। जो पहली नजर में बहुत ही मुश्किल काम नजर आ रहा था, वह हो पाया है और इसका श्रेय जाता है सोशल मीडिया के मंचों को, सबसे जरूरी बात है कि इसने यात्रियों को सशक्त बनाया है जिन्हें अब ऐसा लगता है कि उनके पास रेल अधिकारियों तक सीधा संपर्क है, जो अभी तक केवल कुछ बड़े महारथियों के पास ही था। यह भावना लोगों में स्वामित्व की भावना को जन्म देगी और उनको अपने असैनिक कर्तव्यों का बोध भी होगा। हमें लगता है कि महात्मा गाँधी यदि आज होते तो वह भी इस बात से प्रसन्न होते कि इतनी सारी रेल योजनाओं ने अंत में यात्रियों की परेशानियों को कम कर दिया है।

नागरिकों से प्रत्यक्ष रूप से जुड़ने के कारण और डिजिटल तकनीकों के प्रभावी उपयोग से पारदर्शिता आई है और साथ ही शिकायत निवारण प्रणाली भी स्थापित हुई है, यह एक बड़ा कदम है। भारतीय रेल को इसे आधार बनाकर आगे काम करना है, ताकि यह विश्व स्तर की सेवाएं प्रदान कर सके।

सन्दर्भ

1. http://www.gandhimedia.org/read-more /writing /books / books-by-gandhi/English WRKOMGEN0510-rs pdf
2. www.indianrailways.gov.in
3. https://twittrer.com/railminindia/ status/6698134700512lang=en
4. http://www.ndtv.com/india-news/woman-pessenger-in-distress-gets-help—after-her-tweet-to-suresh-prabhu-1248492 (Published on 27 November 2015)

5. http://www.ndtv.com/offbeat/father-on-train-gets-help-for-injured-son-after-tweeting-railway-rainister-1292868 on 1 April 1016)
6. http.//www.ndtv.com/offbeat/tweet-to-railway-minister-helps-parents-find-runway-daughter-1272275 (Published on 1 Feltruary 2016)

अध्याय 14

जीवन में रोशनी लाना

उजाला प्रोग्राम

जब हम विकास की बात करते हैं, तो ऊर्जा इसमें बहुत बड़ी भूमिका निभाती है। लोगों की जीवन शैली और राज्यों की क्षमता उपलब्ध ऊर्जा पर निर्भर करती है। विकासशील देशों की ऊर्जा की जरूरतें बढ़ रही हैं और जैव-ईंधन अभी भी सबसे सस्ता ईंधन के स्त्रोत है। लेकिन यह सबसे अधिक ग्रीन हाउस गैस (CHG) भी हवा में छोड़ते हैं, जो जलवायु परिवर्तन का एक बड़ा कारण है।

इस प्रकार विकासशील देशों के सामने जलवायु परिवर्तन और आर्थिक और सामाजिक विकास की पहेली बहुत जटिल बात है। आर्थिक और सामाजिक विकास के लिए ऊर्जा की खपत जरूरी है, और जलवायु परिवर्तन रोकने के लिए यह जरूरी है कि औद्योगिक प्रक्रियाओं से निकल रही ग्रीन हाउस गैसों को कम से कम किया जाएँ। प्रधान मंत्री नरेंद्र मोदी ने 2015 में पेरिस में क्लाइमेट चेंज कांफ्रेंस में इस बात को स्वीकारा और आगे की राह साफ की कि, "भारत को तेजी से आर्थिक विकास करना होगा यदि उसे अपनी 125 करोड़ लोगों की आशाएं और उम्मीदें पूरी करनी हैं, जिनमें से 30 करोड़ लोगों के पास ऊर्जा तक पहुँच नहीं है। हम दृढ-संकल्प हैं ऐसा करने के लिए। हमारा यह भी मानना है कि 'लोग' और 'धरती' अलग नहीं हैं- जीवन और प्रकृति अविभाज्य हैं। 2030 तक, हम 2005 के स्तर से अपना उत्सर्जन 33 से 35 प्रतिशत कम कर देंगे और हमारी 40 प्रतिशत ऊर्जा की जरूरतें गैर जैव ईंधनों से होगी।

यह प्रतिज्ञा उस आदमी ने दी जो परिस्थिकी विज्ञान में विशेषज्ञ हैं। 2010 में उन्होंने एक किताब लिखी थी जिसका शीर्षक था 'कनविनिएंट एक्शन:

गुजरात रेस्पॉन्सेस टू चेलेंजेस ऑफ क्लाइमेट चेंज'। पांच साल बाद किताब का विस्तार किया गया ताकि भारत के प्रयत्नों को कवर किया जा सके। और इसका नाम रखा गया 'कनविनिएंट एक्शनः कंन्टिनुइटी फॉर चेंज' और इसे पेरिस सम्मलेन के दौरान जारी किया गया और इसे काफी सफलता मिली।

भारत में पर्यावरण परिवर्तन का एक मुख्य अंश है ऊर्जा की क्षमता बढ़ाना और नवीकृत ऊर्जा का उपयोग करना। यदि प्रधानमंत्री की प्रतिज्ञा को सच करके दिखाना है तो हमें 2030 तक अपना उत्सर्जन 33-35% से कम करना होगा। इसके लिए हमें ऊर्जा बचने की तकनीकें लानी होंगी और इसके साथ यह सुनिश्चित करना होगा कि नागरिकों की सेवाओं के साथ समझौता नहीं किया जा रहा। क्योंकि लोगों को बिजली से जुड़ी सेवाएं चाहिएं, केवल बिजली नहीं।

यहाँ शुरू होता है उजाला प्रोग्राम। ऊर्जा-सक्षम बिजली का आईडिया नया नहीं है, नवीनता लाने की चुनौती इस बात में थी कि महंगी एल ई डी लाइट्स को प्रचलित किया जाए और अनुदान का बिल भी कम रखा जाए।

लक्ष्य काफी बड़ा थाः पूरे देश में 77 करोड़ उद्दीप्त बल्बों के बदले एल ई डी लाइट्स लगाना। एक उद्दीप्त बल्ब की क्षमता उन दिनों से बड़ी नहीं है जब यह नए नए आए थे। मानक बल्बों के लिए यह केवल 2.2% स्वीकृत है। एल ई डी इनसे दस गुना अधिक सक्षम होते हैं। दूसरे शब्दों में 9 वाट का एल ई डी बल्ब उतनी ही रोशनी प्रदान करता है जितना 100 वाट का उद्दीप्त बल्ब देता है। और ऊर्जा भी दस गुना कम लेता है।

उजाला में शामिल है नेशनल प्रोग्राम फॉर एल ई डी आधारित होम एंड स्ट्रीट लाइटिंग। इसका उद्देश्य था ऊर्जा-दक्ष बल्ब के फायदों के बारे में जागरूकता बढ़ाना और साथ ही यह सुनिश्चित करना कि उनका वितरण सब लोगों तक किया जाए और एल ई डी का निर्माण घरेलू उपयोग के लिए हो। उपभोक्ताओं को बुलाया गया कि वह डोमेस्टिक एफ्फिसिएंट लाइटिंग प्रोग्राम के अंतर्गत एल ई डी बल्बों के लिए अपने आप की रजिस्ट्री करें। औपचारिक शुरुआत से पहले उजाला का परीक्षण पांडिचेरी के इलेक्ट्रिसिटी विभाग ने 2014 में किया।

जैसा कि हमारे प्रधान मंत्री की आदत है कि वह हर कार्य को अभ्यासिक रूप से करके दिखाते हैं और अपने निजी तरीके से, वैसे ही उन्होंने उजाला

अभियान की शुरुआत 5 जनवरी, 2015 को अपने कार्यालय का एक बल्ब बदलकर की। उन्होंने उसे 'प्रकाश-पथ' का नाम दिया। इस छोटे से उदाहरण से उन्होंने उपभोक्ताओं में एल ई डी के बारे में एक जागरूकता पैदा कर दी।

इसे और ठोस रूप देने के लिए उन्होंने राष्ट्रपति को दो एल ई डी बल्ब भेंट किए। फिर उन्होंने सुझाव दिया कि नए साल पर पारम्परिक रूप से जो डायरी और कैलेंडर दिए जाते हैं उनके स्थान पर एल ई डी बल्ब दिए जाने चाहिएं। नागरिकों को उनका सन्देश था कि वह ऊर्जा बचाने वाले यंत्रों का प्रयोग करें, क्योंकि यह एक प्रकार की समाज सेवा होगी और इससे पर्यावरण को बचाने में भी योगदान मिलेगा और देश पर आयात बोझ कम होगा। उन्होंने जोर दिया कि ऊर्जा उत्पन्न करने से ज्यादा जरूरी है ऊर्जा का संरक्षण। उन्होंने कहा कि ऊर्जा उत्पन्न करना पूँजी का कार्य है, जबकि ऊर्जा का संरक्षण जनता की इच्छा-शक्ति की बात है।

उपभोक्ता की दृष्टि से ऊर्जा दक्षता का अर्थ है बिजली के घटे हुए बिल। लेकिन एल ई डी की ऊँची कीमत से पहली बार के उपभोक्ता थोड़ा हिचक रहे थे। हालाँकि एल ई डी दस गुना ज्यादा कुशल है और इसका जीवन-काल सी एफ एल बल्ब से सौ गुना है, इनकी कीमत भी उनसे कहीं ज्यादा है। इसलिए स्वाभाविक है कि उपभोक्ता इसे खरीदने से पहले दस बार सोचते हैं। इसका हल यह निकाला गया कि इन्हें बाजार भाव से कम दाम पर बेचा गया और इन्हें किश्तों पर बेचा गया। एनर्जी एफिसिएंट सर्विसेज लिमिटेड, जो ऊर्जा के क्षेत्र में एक संयुक्त उद्यम है, उसे कहा गया कि वह उच्च स्तर लेकिन कम दाम के एल ई डी बल्ब प्रदान करके उजाला को लागू करे। यह बहुत मुश्किल चुनौती थी, क्योंकि इसमें कोई अनुदान नहीं था। ऊर्जा वितरक कम्पनियाँ, जिन्हें हम डिस्कॉम्स के नाम से बेहतर जानते हैं, और जिनको इस प्रक्रिया से लाभ मिलना था लेकिन उन्हें (क्योंकि ऐसा होने से वह पीक-टाइम डिमांड पूरी कर सकते हैं) निवेश करने के लिए नहीं कहा गया। ई ई एस एल ने पूरा निवेश किया वह धीरे-धीरे या तो ऊर्जा की बचत को पैसों में बदलकर या उपभोक्ताओं के बिजली बिलों से ई एम् आई काटकर वापस ले लेता।

उदाहरण के लिए दिल्ली में उपभोक्ता अगले 12 महीनों में केवल दस रुपए देंगे। घरेलू उपभोक्ता को प्रति बल्ब की कीमत 130 रुपए पड़ेगी

जबकि खुले बाजार में इसकी कीमत 350 से 600 रुपए होती है। आमतौर पर दिल्ली में प्रति बल्ब की बचत 162 रुपए हुई।

ई ई एस एल अपनी कीमतें कम रख पाता है, क्योंकि वह थोक में बल्ब खरीदता है। वह विभिन्न स्थानों से एल ई डी की मांग लेकर उन्हें थोक के भाव खरीदता है। स्पर्धात्मक बोली के माध्यम से एक वितरक एजेंसी की नियुक्ति की गई है और उत्पादों को ऑनलाइन बेचा जाता है। उजाला एल ई डी बॉक्स जो उपभोक्ताओं के घर पहुंचता है उसमें एक मुफ्त का हेल्पलाइन नंबर छपा होता है, वह निर्माता से जुड़ा होता है। एल ई डी बल्बों की 3 सालों की गारंटी होती है। शिकायतों को वितरण एजेंसी के कस्टमर केयर केंद्र में भेजा जा सकता है। प्रोग्राम की बनावट सरल और कुशल थी। वह इस पर आधारित थी कि जिस उत्पादन की मांग होगी उसे आर्थिक लाभ भी जरूर मिलेगा।

प्रधानमंत्री के उजाला के समर्थन के एक साल के बाद (प्रधानमंत्री कार्यालय में सभी बल्बों को बदलने से एक महीने में 7000 इकाइयों की बचत हुई) 'एल ई डी द वे' अभियान शुरू किया गया। यह एक बहुत बड़े स्तर का उपभोक्ता तक पहुँचने का कार्यक्रम था। इसमें राज्य स्तर के मार्केटिंग अभियानों का उपयोग किया गया ताकि उजाला के बारे में जागरूकता पैदा हो। उपभोक्ताओं से कहा गया कि वे संकल्प लें कि वे एल ई डी के बल्ब इस्तेमाल करेंगे और उन्हें आमंत्रित किया गया कि वे ऊर्जा की बचत के सबसे बड़े प्रोग्राम में भाग लें। मई, 2017 तक www.iledtheway.in वेबसाइट पर करीब 70 लाख संकल्प आ चुके थे।

2015 और 2017 के बीच एल ई डी उद्योग की बढ़त घातांक रूप से हुई। पहले वर्ष में ही उजाला के अंतर्गत 9 करोड़ एल ई डी बल्ब वितरित किए गए जिससे 8500 करोड़ रुपयों की बचत हुई। मई 2017 तक 23.38 करोड़ एल ई डी बल्ब वितरित किए जा चुके थे। यह करीब 30 बिलियन किलोवाट घंटों की बचत है, या 6000 मेगा वाट कम की आवश्यकता, और इसका अर्थ है कि ग्रीन हाउस गैसों का उत्सर्जन करीब 15246 मिलियन टन कम होगा। उपभोक्ता, न केवल बिजली के बिल की बचत करते हैं, बल्कि उनको इस बात की संतुष्टि होती है कि वह देश के लिए बिजली या ऊर्जा बचा रहे हैं।

एल ई डी की मांग से निर्माण में बड़े स्तर पर निवेश को जन्म दिया। इससे एल ई डी की कीमतों में भारी गिरावट आई। (जनवरी 2014 में...रुपयों से लेकर जनवरी 2017 में प्रति बल्ब 38 रुपयों की बचत) खुदरा दामों में भी गिरावट आई है। निजी क्षेत्र ने अपनी जिम्मेदारी निभायी और 2015-16 में 6 करोड़ बल्ब के निर्माण के मुकाबले 2017 में, तैंतीस करोड़ बल्बों का निर्माण हुआ, जो पांच गुना से भी अधिक है।

उपभोक्ताओं और पर्यावरण के फायदों के अलावा ऊर्जा कुशलता ने एल ई डी के एक बड़े बाजार को भी जन्म दिया है। अब भारत दुनिया में एल ई डी बल्बों का दूसरा सबसे बड़ा निर्माता बन गया है। इसके साथ ही उजाला सबसे बड़ा गैर-अनुदान का एल ई डी प्रोग्राम बन गया है।

इस 'पथप्रदर्शक पहल' ने अन्य ऊर्जा-सक्षम उत्पादनों के लिए बाजार खोल दिया है, जैसे एल ई डी ट्यूब लाइट्स और ऊर्जा-सक्षम पंखे। अब इन्हें भी उजाला योजना में जोड़ दिया गया है। मई 2017 तक करीब 7,65,000 पंखे और 20 लाख से अधिक एल ई डी ट्यूब लाइट्स का वितरण कर दिया गया था, वह भी केवल 6 महीनों के अंदर। अनुमान है कि इन ट्यूब लाइट्स पर करीब '90 मिलियन किलो वाट घंटों' की वार्षिक बचत होगी। ऊर्जा-सक्षम पंखे प्रतिनदिन करीब 10 लाख रुपयों की बचत करते हैं या 3,00,000 किलो वाट घंटों की बचत। 'नेशनल उजाला डैशबोर्ड' जो पारदर्शी रूप से ग्रीन यंत्रों का वितरण करता है यह अनुमान लगाता है कि प्रति वर्ष करीब 73,425 टन कार्बन डाइऑक्साइड कम उत्सर्जित होगी।

ऐसा लगता है कि उजाला ने सभी अंशधारकों के लिए जीत की स्थिति बना दी है। कुल मांग में आई बढ़त को देखते हुए लगता है कि उपभोक्ता संतुष्टि काफी ऊँची है। जिन लोगों ने पहली बार इन उत्पादनों का उपयोग किया है, उन्होंने माना है कि इनके लाभ बहुत रहे हैं। उजाला पर लोगों की प्रतिक्रिया सामान रूप से सकारात्मक रही है।

कुलदीप सिंह राणा की प्रतिक्रिया को ही लीजिए... जो सब्जियां बेचते हैं, और उससे भी महत्वपूर्ण यह है वह उत्तराखंड के पौड़ी जिले में भाउ गाँव के ग्राम प्रधान हैं। एक बड़ा कदम उठाते हुए, और एल ई डी बल्ब का उपयोग करते हुए, उन्होंने पाया कि वह उद्दीप्त बल्बों के मुकाबले अधिक रोशनी प्रदान करते हैं। वह नाजुक भी नहीं होते और जल्दी टूटते नहीं। यह

देखते हुए कि बिजली के बिल कम आते हैं, कोलू भानु गाँव के 80 फीसदी लोगों ने एल ई डी का प्रयोग करना शुरू कर दिया है। एल ई डी बल्बों का एक और लाभ है कि वह तीन साल की गारंटी के साथ आते हैं।

ग्रामीण इलाकों में बिजली के अनियमित वितरण को देखते हुए राणा को कई बार 'बैक-अप' के तौर पर बैटरी का प्रयोग करना पड़ता था। वह उद्दीप्त बल्बों के साथ करीब 3-4 घंटे तक चलती थी, लेकिन एल ई डी के साथ वह पूरे 12 घंटों तक चलती है।

राणा ने तो उजाला योजना को अपना कुल समर्थन दिया और उनकी आवाज कुछ मीलों तक उत्तर और पश्चिम में भी लोगों को सुनाई दी- यानि चमोली गाँव तक। प्रदीप भंडारी जो ग्राम प्रधान हैं मानते हैं कि एल ई डी ने लोगों की जिन्दगी बदल दी है। क्योंकि गांवों में कई बार ऊर्जा का वितरण कम वोल्टेज पर होता है, पारम्परिक उद्दीप्त बल्ब बहुत कम रोशनी प्रदान करते हैं। वोल्टेज के उतार-चढ़ाव से बल्ब फ्यूज हो जाते हैं और उन्हें बार-बार बदलना पड़ता है। या यूँ कहा जाए कि परिवार को कम रोशनी के लिए अधिक पैसे खर्च करने पड़ रहे थे।

एल ई डी में क्षमता होती है कि वह वोल्टेज के उतार-चढ़ाव झेल लेते हैं और उनकी रोशनी भी बहुत बेहतर होती है। स्कूल जाने वाले बच्चे अब किसी भी समय पढ़ सकते हैं, चाहे वह सुबह जल्दी हो या रात में देर तक। और दुकानों और घरों में भी रोशनी अच्छी होती है, जिसके फायदे स्पष्ट हैं।

छोटे कारोबारों को भी एल ई डी से फायदा हुआ है। आंध्र प्रदेश के एक छोटे से गाँव में 'लेमन सोडा' बनाने और बेचने का काम करने वाले सईद शरीफुद्दीन और उनकी पत्नी ने एल ई डी की बदौलत अपना निर्माण डेढ़ गुना बढ़ा लिया है। इनका कारोबार घर में बनायीं एक निर्माण की इकाई से चलता है और बोतलों को घर से ही बेचा जाता है।

मार्च 2015 में, इस पति-पत्नी ने एल ई डी लगवाए थे। इन्हें तुरंत लाभ मिले; इनके बिजली के बिल कम हो गए और इनका उत्पादन बढ़ गया। अधिक ऊर्जा खाने वाले अक्षम बल्बों से रात में काम नहीं हो पाता था, जिससे निर्माण के घंटे कम हो जाते थे और उनका कारोबार नुकसान उठाता था। एल ई डी के आने के बाद ऊर्जा के बिलों में बचत से उनकी पूँजी बढ़ गयी है। केवल तीन महीनों में सईद और उनकी पत्नी की 1500

रुपयों की बचत हुई। इससे वह घर में अधिक खर्च कर पाए, विशेष रूप से बच्चों की पढाई पर खर्च और साथ ही उन्हें अपने कारोबार में निवेश के लिए भी अधिक पैसे बचे।

ओडिशा के तालचेर जिले में एक सदाशयी व्यक्ति ने वांछित बच्चों के लिए चलाये जा रहे दो स्कूलों में उजाला योजना के माध्यम से मदद प्रदान की। राजीव अग्रवाल जो एन टी पी सी के अधिकारी हैं, उन्होंने निर्णय लिया कि वह पलशबहाली और कालीआदामा आश्रम के स्कूलों के सभी बल्बों को एल ई डी बल्बों से बदलेंगे। अक्टूबर 2016 में उन्होंने 9 वाट के 100 एल ई डी बल्ब खरीदे और इन स्कूलों को भेंट किए। करीब 800 विद्यार्थियों के लिए बेहतर रोशनी का मतलब था, बेहतर पढाई और इन स्कूलों का बिजली का बिल भी 200 इकाई प्रति वर्ष से कम हो गया, जिससे वर्ष में बिजली के बिलों में 1000 रुपयों का फायदा होता है।

उजाला ने दिखा दिया है कि कैसे एक बिना अनुदान की योजना बाजार की ताकत का उपयोग करके नागरिकों को पर्यावरण और आर्थिक मजबूती की ओर ले जा सकती है। जागरूकता अभियान ने उनकी भावनाओं से जुड़कर, उपभोक्ताओं के आलस को दूर किया। इस प्रक्रिया में भारत में घरेलू रोशनी प्राप्त करने के तरीकों में प्रति लुमेन और प्रति वाट के छोटे छोटे कदमों द्वारा बड़ा बदलाव आया है।

सन्दर्भ

1. http://www.ceslindia.org/writeresddata/Ujala%20Case%20study.pdf
2. http://www.pmindia.gov.in/en/news_updates/pm-launches-scheme-for-ledbulb-distribution-under-domestic-efficient lighting-programme-in-delhi/ (Published on 5 january,2015)

अध्याय 15

आसमान से शासन पर नजर

आसमानी टेक्नोलॉजी

इंडियन स्पेस रिसर्च आर्गेनाइजेशन, इसरो ने फरवरी 2017 में अंतरिक्ष में एक राकेट भेजकर एक विश्व रिकॉर्ड स्थापित किया। यह भारत के स्पेस प्रोग्राम के लिए एक और मील का पत्थर था, जो दुनिया के सबसे अच्छे प्रोग्रामों में से है और उसने यह काम कम कीमत पर कर के दिखाया। जो बात लोगों को नहीं पता वह है कि नरेंद्र मोदी की सरकार कैसे इस बढ़िया प्रोग्राम का लाभ उठा रही है और शासन में अधिक कुशलता ला रही है। भारत की विकसित स्पेस टेक्नोलॉजी सरकार की 'आसमानी नजर' है। इसका उपयोग सरकार की योजनाओं और नतीजों के बीच आने वाली बाधाओं को दूर करने में किया जाता है। इनमें जानकारी और क्रियान्वयन ये दो बड़ी बाधाएं हैं। स्पेस टेक्नोलॉजी का प्रयोग विभिन्न क्षेत्रों में किया जा रहा है ताकि सरकारी पहलों में बेहतर नतीजे मिलें और सभी भारतीयों को लाभ पहुंचे।

स्पेस टेक्नोलॉजी ने कृषि के क्षेत्र में अविस्मरणीय योगदान दिया है। कृषि में भारत की करीब 50 प्रतिशत जनता संलग्न है। अंतरिक्ष का उपयोग कर कृषि उत्पादन का पूर्वानुमान, कृषि मंत्रालय का कृषि-मौसम विज्ञान और भूमि-आधारित अवलोकन (एफएएसएएल) कार्यक्रम जिला, राज्य और राष्ट्रीय स्तर पर आठ प्रमुख फसलों के लिए इसरो द्वारा विकसित अप्लीकेशन के उपयोग से फसल पूर्वानुमान उत्पन्न करता है- ये फसलें हैं जूट, चावल (खरीफ और रबी), गन्ना, कपास, रेपसीड, सरसों, रबी शर्बत और गेहूं। फसल क्षेत्र के आंकलन, फसल की स्थिति और उत्पादन के पूर्वानुमान के लिए 'ऑप्टिकल' और 'रिमोट' सेंसिंग का उपयोग किया जाता है। यह जानकारी किसानों के लिए बहुत महत्वपूर्ण होती है और उनके लिए जिन्हें

यह सुनिश्चित करना होता है कि मुख्य कृषि फसलों की बाजार आपूर्ति सही मात्राओं और सही कीमतों पर होती रहे।

किसानों के लिए एक अतिरिक्त लाभ ऑनलाइन उपग्रह डेटा, उपकरण और मोबाइल ऐप से है जो इसरो अपने नवीन भुवन जी-पोर्टल के माध्यम से देशभर के दस राज्यों और पचास चिन्हित जिलों में लगभग 52,000 माइक्रो-वाटरशेड के लिए वाटरशेड विकास गतिविधियों की निगरानी के लिए प्रदान करता है। भुवन-जी टूल्स के प्रयोग से 'डिपार्टमेंट ऑफ लैंड रेवेनुएस' अधिकारियों को सेटेलाइट आंकड़ों और मोबाइल एप्स के लिए क्षमता बनाने की सुविधा दी जा रही है। इन टूल्स के प्रभावी क्रियान्वयन से यह सुनिश्चित होगा कि मृदा और जल का संरक्षण हो और फसलों की सिंचाई में कोई कमी न रहे।

बागवानी के आला क्षेत्र में कृषि सहयोग विभाग और किसान कल्याण ने एक नई परियोजना शुरू की है जिसका नाम है चमन (CHAMAN) यानी जियोइन्फॉर्मेटिक्स का उपयोग करके प्रबंधन के उपयोग से समन्वित बागवानी मूल्यांकन। जो किसानों तक स्पेस टेक्नोलॉजी के फायदे लेकर आएगी। इस योजना के अंतर्गत, बागबानी के पौधों का अनुमान लगाने के लिए ध्वनि तरंगों का तरीका बनाया जा रहा है और रिमोट सेंसिंग टेक्नोलॉजी और सैंपल सर्वे तरीके का उपयोग करके शुरुआती तौर पर किया जाएगा। साथ-साथ चमन के अंतर्गत एक अन्य योजना चल रही है जिसे 'महालनोबिस नेशनल क्रॉप फोरकास्ट सेंटर' द्वारा चलाया जा रहा है। फसलों के अनुमान के अलावा एम् एन सी एफ सी अनेक विकास कार्यों में जुटी है। और सूक्ष्म कृषि के लिए कुछ अनुसन्धान कार्य, और बागबानी के पौधों के लिए स्वनाम लेखन कर रही है जिनका आंकलन करने के लिए उन्हें छोटे प्लॉट्स पर उगाया जा रहा है।

स्पेस टेक्नोलॉजी का प्रयोग प्राकृतिक आपदओं के प्रभावों को कम करने के लिए भी किया जा रहा है। इंडियन रिमोट सेंसिंग, वायुमंडलीय और संचार सेटेलाइट्स ने जल्दी चेतावनी, आंकलन और क्षति और आपातकालीन संचार में समयोचित समर्थन दिया है। जनवरी-मार्च 2015 में जम्मू और कश्मीर के क्षेत्र में आए बड़े भूस्खलन से फुटकल नदी के बहाव में रूकावट आ गयी थी, और उसकी निगरानी भारतीय रिमोट सेटेलाइट के प्रयोग से की गई।

सम्बंधित एजेंसियों को रोज बाढ़ सम्बंधित मैप और बाढ़ के आने या जाने के बारे में समाचार भेजा जाता था।

भारत अन्य देशों को अपनी टेक्नोलॉजी से मदद पहुंचा सकता है। नेपाल में 2015 में आए भूकंप में भारतीय और विदेशी सेटेलाइट्स से मिले आंकड़ों का विश्लेषण किया गया ताकि क्षतिग्रस्त इमारतों की पहचान की जा सके। इस जानकारी को भारतीय एजेंसियों तक पहुँचाया जाता था जैसे गृह मंत्रालय, राष्ट्रीय आपदा मैनेजमेंट अथॉरिटी और नेशनल आपदा रिस्पांस फॉर्स और अंतरराष्ट्रीय एजेंसियों को जैसे, 'ब्रिटिश आर्मी अंतरराष्ट्रीय सेंट्रर फॉर इंटीग्रेटेड माउंटेन डेवलपमेंट', नेपाल, यू.एस. की राष्ट्रीय इंटेलिजेंस एजेंसी और यू एन ओ एस ए टी और नेपाल, कोरिया, रूस, फ्रांस, जर्मनी, आदि की रिहायशी टीमें, ताकि बचाव कार्यों को एकीकृत किया जा सके और समन्वय स्थापित किया जा सके।

भुवन-जी मंच स्पेस टेक्नोलॉजी का प्रयोग करके सुसंगत रिमोट सेंसिंग डाटा प्रदान करता है और आपदा, मौसम, भूमि और समंदर के बारे में अनेक सेवाएं देता है। इसका उद्देश्य आम जनता को जानकारी देना है। इसे अगस्त 2015 में शुरू किया गया और इसके करीब 51,000 प्रयोगकर्ता हैं और 2.8 लाख से अधिक डाउनलोड। नई एप्लीकेशन सेवाओं में शामिल हैं 300 शहरों की 10 लाख से अधिक तसवीरें और आम आदमी के लिए अनेक काल्पनिक एप्लिकेशन्स। भुवन-जी का टूल उत्तरखंड में 2016 में हुई वन-अग्नि के मामलों में बहुत प्रभावी साबित हुआ था। सेटेलाइट डाटा से जो जानकारी प्राप्त हुई उसे उसी समय अग्नि शामक एजेंसियों को पहुंचा दिया गया और उसे मंच पर अपलोड करके जनता को चेतावनी दी गई।

सरकार दम सेटेलाइट और रिमोट सेंसिंग टेक्नोलॉजी का प्रयोग करके भारत की अवसंरचना का सुधार किया है और उसका स्तर बढ़ाया है। पूरे राष्ट्रीय राजमार्ग के लिए 'रोड असेसमेंट मैनेजमेंट सिस्टम' (आर ए एम् एस) का विकास और 3000 किलोमीटर के शुरुआती रोड नेटवर्क के लिए डाटा को इकट्ठा करने का काम प्रधानमंत्री की डिजिटल इंडिया पहल के अंतर्गत चल रहा है। जो आंकड़े इकट्ठे किए जाएंगे वह रख-रखाव और विकास कार्य की निगरानी और लेखा-परीक्षण के लिए सहायक होंगे, विशेषरूप से ऐसे स्थानों

के लिए, जहाँ पहुंचना कठिन है। एक सटीक और वैज्ञानिक रख-रखाव का तरीका बनाने में एक एकीकृत डाटा एकत्र प्रणाली सहायक होगी जो रोड सुरक्षा के उपायों और भारत में राष्ट्रीय राजमार्गों के आगे के विकास कार्य को अंतिम रूप देगी। जो आंकड़े इकट्ठे किए जायेंगे उनके रख-रखाव का कार्य एक वेब-आधारित एप्लीकेशन से होगा जिसे सार्वजनिक क्षेत्र में रखा जाएगा। जब एप्लीकेशन पूर्ण रूप से विकसित हो जाएगा, तो उस तक स्मार्ट फोन्स द्वारा भी पहुंचा जा सकेगा। इस योजना से जो जानकारी प्राप्त होगी वह यातायात और वित्त मंत्रालयों, राष्ट्रीय राजमार्गों के अधिकरणों, राज्य पी डब्ल्यू डी, पुलिस विभागों और नागरिकों के लिए उपयोगी होगी। सॉफ्टवेयर घरेलू भुवन सेटेलाइट की तस्वीरों के साथ सुसंगत होगा। सर्वेक्षण के यंत्र में तीन कैमरा लगाए गए हैं, जिसमें शामिल है पेवमेंट व्यू। 15 एडवांस्ड लेजर और जी पी एस गगन सेटेलाइट से जुड़ा है।

रेलवे में बिना मनुष्य वाली रेलवे क्रासिंग (समपार) पर स्वत: चेतावनी की प्रणाली गगन, रेल संचालन टूल और भुवन के प्रयोग से लगाई गई है। इसमें एक भू-आकाशीय डेटाबेस होता है जिसमें बिना मनुष्य वाली रेलवे क्रासिंग का सटीक स्थान आ जाता है और ट्रेन के इंजन पर गगन से सुसंगत यंत्र लगे होते हैं। जब ऐसी ट्रेन बिना मनुष्य की रेलवे क्रासिंग के पास पहुंचेगी तो उसे पता चल जाएगा और उसका हूटर स्वत: बजने लगेगा। रेलवे ने विशेषज्ञों की एक समिति बनाई है जो लागू के तौर-तरीकों को अंतिम रूप देगी।

स्पेस टेक्नोलॉजी के लाभ जनसंख्या के सबसे संवेदनशील वर्गों तक पहुँच रहे हैं, विशेष रूप से आदिवासियों तक। आदिवासी मामलों के मंत्रालय के पास एक प्रोग्राम है जिससे वह उन भावी स्थानों की पहचान कर सकता है जहाँ पानी इकठ्ठा हो सकता है। इसे 'महात्मा गाँधी नेशनल रूरल एम्प्लॉयमेंट गारंटी एक्ट' का प्रयोग करके मछली पालन के लिए विकसित किया जा सकता है। यह योजना 168 आदिवासी प्रमुख क्षेत्रों के (25 फीसदी से अधिक आदिवासी जनसंख्या) 24 राज्यों और केंद्र शासित प्रदेशों में है और यह आदिवासियों को एक आजीविका का साधन प्रदान करेगी। इसरो ने सेटेलाइट डाटा के प्रयोग से पानी के छोटे स्त्रोतों के लिए नक्शे प्रदान किए हैं। इन नक्शों का प्रयोग करने के लिए राज्य स्तर के

अधिकारियों के लिए ओडिशा, पश्चिम बंगाल, उत्तर-पूर्व, गुजरात और झारखण्ड में क्षमता बनाई गई है।

सेटेलाइट टेक्नोलॉजी से सरकार के अनेक मुख्य प्रोग्रामों की क्षमता बहुत बढ़ायी जा रही है। GEoMGNREGA, 'NRSC ISRO' और नेशनल इन्फार्मेटिक्स सेण्टर के साथ, ग्रामीण विकास मंत्रालय का यह एक अनुपम प्रयास है। 24 जून, 2016 को ग्रामीण विकास मंत्रालय के साथ एक समझौता ज्ञापन पर हस्ताक्षर किये गए ताकि प्रत्येक ग्राम पंचायत में MGNREGA के अंतर्गत परिसम्पत्तियों की भौगोलिक मैपिंग की जा सके। एक करोड़ सम्पत्तियों को जीओ-टैग किया जा चुका है और जनता के सामने रखा गया है। यह उम्मीद है कि इससे अधिक पारदर्शिता आएगी और जमीनी स्तर पर जिम्मेदारी सुनिश्चित होगी।

प्रधानमंत्री शहरी आवास योजना जिसे आमतौर पर PMAY & HFA कहा जाता है, यह चाहती है कि निजी घरों को 'बेनेफिशरी लेंड कॉम्पोनेन्ट' बनाया जाता है, उन्हें तस्वीरों के माध्यम से टैग किया जाए ताकि प्रत्येक घर की निगरानी हो सके। इन प्रावधानों की अनुपालना के लिए मंत्रालय ने एन आर एस सी हैदराबाद के साथ एक समझौता किया है। M15 जिसे 'PMAY HFA' के अंतर्गत विकसित किया गया है-उसे जीओ-टैगिंग के लिए एन आर एस सी के 'भुवन सर्वर' से सुसंगत किया गया है

प्रधानमंत्री ग्रामीण सिंचाई योजना के अंतर्गत जो परिसंपत्तियां बनाई गई हैं उन्हें भुवन एप्लीकेशन के प्रयोग से, जीओ-टैग करके लोकेशन मैप्स पर मैप किया जाएगा। इस गतिविधि को हाथ में पकडे जाने वाले यंत्रों की नई तकनीक से जोड़ा जाएगा और इन्हें एन ए एम् ई टी का नाम दिया जाएगा। एक्सटेंशन कर्मचारी या अन्य जांच अधिकारी एक ऑनलाइन फॉर्म को एंड्राइड एप्लीकेशन की तरह भरकर बनाई जा रही परिसंपत्ति के विवरण भरेंगे। सिंचाई के प्रत्येक स्त्रोत के परिसंपत्ति विवरण और वितरण के चैनल -'डीजीटाइसड सेटेलाइट इमेजरी' को अपलोड किया जाएगा। -जी पी एस वाले स्मार्ट फोन के माध्यम से जीओ- टैगिंग की विशेषता के साथ।

वर्तमान सरकारी योजनाओं के अलावा जियोस्पटिअल टेक्नोलॉजी से विकास की प्राथमिकताओं के अधिक विकेन्द्रीकरण में भी सहायता मिलेगी। उच्च रेसोलुशन सॅटॅलाइट डाटा के प्रयोग से पूरे देश के लिए राज्य आधारित

प्राकृतिक संसाधन का डेटाबेस बनाया जा रहा है। यह जियोस्पटिअल डेटाबेस जिसमें क्षेत्र स्तर की जानकारी और पारम्परिक ज्ञान होगा। इससे भूमि और जल प्रबंधन के लिए स्थान-आधारित एक्शन प्लान बनाने में मदद मिलती है। क्षेत्रीय स्तर पर ऐसी जानकारी प्राप्त होने से पंचायत, निर्णय लेने में सशक्त होते हैं। भुवन पंचायत मंच ऐसी प्रणाली प्रदान करता है जो विकेन्द्रीकृत योजना बनाने की प्रक्रिया में मदद करती है। इस मंच के मुख्य उपयोगकर्ता हैं नागरिक, पंचायती राज के तीन स्तर (ग्राम पंचायत, ब्लॉक पंचायत और जिला पंचायत) यह पी आर आई की मदद नागरिकों द्वारा किए जा रहे कार्यों के विकास पर नजर रख कर करता है।

सरकार का एक महत्वाकांक्षी प्रयोग 'सेहत' है-जो पूरे देश की एक स्वास्थ्य पहल है। यह इसरो की तकनीक पर निर्भर होगी ताकि भूगोल की सीमाएं लाँघी जा सकें और अच्छे स्तर का स्वास्थ्य दिया जा सके। इस पहल को अपोलो अस्पताल के साथ मिलकर चलाया जाएगा। इसका उद्देश्य है कि वह देश भर में किसी भी स्थान पर 70,000 सेवा केंद्रों को जोड़े और नागरिकों को स्वास्थ्य सेवाएं दें।

टेली-मेडिसिन का एक नया-नया केंद्र अभी से जम्मू और कश्मीर के शेषनाग तालाब में कार्य कर रहा है, और इसके खुलने के बाद ऐसे केंद्रों की संख्या 105 हो गई है जो देश के दूर दराज के क्षेत्रों में लोगों की जानें बचाते है। लोगों को ये सेवाएं बहुत ही कम कीमतों पर उपलब्ध होती हैं क्योंकि उन्हें लम्बी दूरी तय करके कहीं जाना नहीं होता। जम्मू और कश्मीर के पहाड़ी इलाकों में हिमाचल प्रदेश और उत्तराखंड, जहाँ सेल फोन के कनेक्शन ठीक से नहीं पहुंचे हैं, इसरो ने दिल्ली, चंडीगढ़, श्रीनगर और पांडिचेरी के अस्पतालों तक सेटेलाइट लिंक प्रदान किया है। टेलीमेडिसिन के सभी स्थापित नोड्स (केंद्रों) में एक वीसैट प्रणाली, वीडियो कॉन्फ्रेंसिंग के यंत्र और टेली मेडिसिन का सॉफ्टवेयर और निदान यंत्र, जैसे, ई सी जी मशीन और एक्स रे मशीन होती है। इन केंद्रों पर कर्मचारी मरीजों के मूल लक्षण नोट करते हैं, उन्हें सलाह के लिए पंजीकृत करते हैं और उनके मूल चिह्नों को सेटेलाइट के माध्यम से डॉक्टर तक भेज देते हैं। विशेष केंद्र में डॉक्टर मामले की जांच करते हैं और फिर एक 'टेली कंसल्टेशन' का 'अपॉइंटमेंट' मरीज के केंद्र पर निर्धारित किया जाता है।

भारत में शासन के क्षेत्र में तेजी से विकसित स्पेस टेक्नोलॉजी का उपयोग वर्तमान सरकार की खासियत है। यह प्रधानमंत्री कटिबद्ध है कि सम्पूर्ण सरकारी प्रणाली वस्तुतः जिम्मेदार और पारदर्शी बने। कृषि से लेकर आवास और प्राकृतिक आपदाओं से लेकर स्वास्थ्य, रोड से लेकर रेल तक ऐसी तकनीक का तेजी से इस्तेमाल हुआ है और यही तय करना और कहना है कि प्रधानमंत्री पारदर्शिता और जिम्मेदारी को लेकर कटिबद्ध है। इसके नतीजों ने लाखों लोगों का जीवन बदला है और लक्ष्य तो यह है 125 करोड़ लोगों के जीवन स्तर में बदलाव आए और बेहतरी दिखाई दे।

संदर्भ

1. http://www.livemint.com/Politics/df1ef1TTLuegLCj7g9qWRK/Govt-launches-Sehat-telemedicine-initiative.html(Published on 25 August2015).
2. https://realty.economictimes.indiatimes.com/news/technology/govt-to-utilise-geo-spatial-technology-to-build-smart-cities/56749257(Publishud on 24 January 2017)
3. http://www.hindustantimes.com/india-news/with-105-centres-govt-spresds-telemedicine-network-across-country/story-UDwyqZRniQOjzJg9MOzk8I.html (Published an 17 August 2016)
4. Press lnformation Bureau,Government of India, Ministry of Rural Development, 21 April 2017, http://pib.nic.in/newsite/PrintRelease.aspx?relid=161202
5. Press Information Bureau,Government of India, Department of space,29 December 2016;http://pib.nic.in/newsite/PrintRelease.aspx?relid=155958
6. Press Information Bureau, Government of India, Department of Space,28 December 2015:http://pib.nic.in/newsite/PrintRelease.aspx?relid=133949
7. Press lnformation bureau, Government of India, Ministry of Agriculture, 2 August 2016:http//pib.nic.in/newsite/PrintRelease.aspx?relid=148190

8. Ministry of Housing and Urban Poverty Alleviation, Government of India, Ashraya Volume 1,Issue 1,April-June2016,New Delhi: http://moud.gov.in/upload/uploasfiles/files/2shraya_eng_vol1_issue1.pdf
9. http://pmksy.gov.in/pdflinks/Guidelines_English.pdf

अध्याय 16

लोकतंत्रीय वित्तीय सशक्तिकरण

भीम एप

भारत में हमेशा से एक नकदी की अर्थव्यवस्था रही है। नकदी के व्यापक उपयोग का एक दुर्भाग्यपूर्ण दुष्प्रभाव यह है कि इससे काले धन की उत्पत्ति होती है और भ्रष्टाचार, कर की चोरी, तस्करी, यहां तक कि आतंकवाद से जुड़े लोगों को सुविधा मिलती है। करों की चोरी से सरकार को महत्वपूर्ण बुनियादी ढाँचे में निवेश करने के लिए वित्तीय संसाधनों से वंचित होना पड़ता है। भारत कराधान जीडीपी के अनुपात का केवल 17 प्रतिशत है, जबकि उन्नत देशों में औसत 34 प्रतिशत है। इससे सड़क, बंदरगाह, हवाई अड्डे (भौतिक) और स्कूल, अस्पताल (सामाजिक) योजनाओं के क्रियान्वयन में देरी होती है। देश के सबसे गरीब आदमी के उत्थान में समय लगता है। प्रधानमंत्री नरेंद्र मोदी की सरकार भारत की काली अर्थव्यवस्था पर अंकुश लगाने के लिए प्रतिबद्ध है: नवंबर 2016 में उठाया गया कदम समानांतर अर्थव्यवस्था को बाधित करने के उद्देश्य से एक साहसिक कदम था।

व्यवधान से परे, काले धन के उत्पादन पर अंकुश लगाने के लिए नागरिकों को लेन-देन के कैशलेस तरीके अपनाने के लिए प्रोत्साहित करने की आवश्यकता है। इसके लिए आसानी से उपलब्ध विकल्प चेक और डेबिट / क्रेडिट कार्ड हैं। लेकिन इन तक सीमित संख्या में ही भारतीयों की पहुंच है। मोबाइल फोन के व्यापक उपयोग को देखते हुए - लगभग हर परिवार के पास कम से कम एक डिजिटल प्रौद्योगिकी, आधार और अत्यंत सफल जन धन योजना ने, 98 प्रतिशत परिवारों को बैंक खाते तक पहुंच बनाने में सक्षम बनाया है। यह परिदृश्य डिजिटल भुगतानों में एक नवाचार के लिए अनुकूल था। यह नवाचार भीम (या भारत इंटरफेस फॉर

मनी) सरकार द्वारा सरल, लागत-मुक्त, कैशलेस लेन-देन बनाने के लिए, यहाँ तक कि बिना स्मार्ट फोन के उपयोग के भी लिए विकसित किया गया एक ऐप है।

प्रधानमंत्री ने ऐप का नाम भीमराव आंबेडकर के नाम पर रखा, जो 'भारत के संविधान के पिता' और एक समाज सुधारक के रूप में जाने जाते हैं, जिन्होंने दलितों के उत्थान के लिए अथक परिश्रम किया। जो बात सभी को कम ज्ञात है, लेकिन उतनी ही महत्वपूर्ण है, वह यह है कि आंबेडकर एक प्रतिष्ठित अर्थशास्त्री थे। उन्हें 'रुपये की समस्या' विषय पर डॉक्टरेट मिली थी। वह एक मुद्रा विशेषज्ञ थे और इस तथ्य पर कोई संदेह नहीं किया जाएगा कि नकदी काले धन को रखने और विनिमय करने का एक माध्यम बन गई थी। उन्होंने निश्चित रूप से भीम को मंजूरी दी होगी, जो बिना किसी दुष्प्रभाव के नकदी के लेन-देन के लिए समान भूमिका निभाता है। भीम रातों-रात पैदा नहीं हुआ था। नीति और प्रौद्योगिकी में नवाचारों ने इसे संभव बना दिया है। भारत पहले से ही ई-मनी (इसे बिटकॉइन जैसी वर्चुअल या क्रिप्टो करेंसी के जैसा समझ कर भ्रम में न पड़ें), जर्मनी और जापान जैसी कुछ उन्नत अर्थव्यवस्थाएं अभी भी नकदी-आधारित हैं, लेकिन अधिकांश देशों ने भुगतान, क्रेडिट या डेबिट कार्ड, इलेक्ट्रॉनिक ट्रांसफर (नेट बैंकिंग) या मोबाइल वॉलेट के डिजिटल तरीके अपनाए हैं। भौतिक तौर पर मुद्रा को रखना नुकसान का विषय है। इसकी देख-रेख भी अतिरिक्त करनी होती है। यह रोगाणु को वहन करती है, यह बटुए में जगह लेता है और जेब को वजनी बनाता है।

आंकड़ों और मूल्य दोनों के अनुसार, काड्र्स और इंटरनेट बैंकिंग के माध्यम से डिजिटल भुगतान लगातार बढे हैं। फरवरी 2017 के आंकड़ों को ही ले लीजिए - देश भर में 835 मिलियन लोग डेबिट कार्ड प्रयोग करते हैं और इनसे 251 का लेन-देन हुआ (पॉइंट ऑफ सेल पर)। क्रेडिट कार्ड के लेन-देनों की संख्या 94 मिलियन रही। देश के 426 मिलियन इंटरनेट प्रयोग करने वालों के बीच, इंटरनेट बैंकिंग, जिसकी कीमतें भी कम हैं, काफी तेजी से बढ़ रही है। लेकिन तीसरी पार्टी के फण्ड ट्रांसफर अभी तुरंत नहीं हो पाते और उनमें कम-से-कम 30 मिनट लगते हैं और यह प्रक्रिया काफी जटिल हो सकती है।

जैसा पहले कहा जा चुका है, 1 बिलियन फोन में से जिनमें से 370 मिलियन के पास इंटरनेट कनेक्शन भी है, इससे यह आईडिया आया कि क्यों नहीं लेन-देनों का एक सरल और आसान तरीका निकाला जाए जो मोबाइल-फोन पर आधारित हो। इसके लिए तकनीक की एक बड़ी नवीनता की आवश्यकता थी, यानि 'युनाइटेड पेमेंट्स इंटरफेस', जिसने मोबाइल आधारित वित्तीय सेवाओं को शुरू करने का आधार बनाया।

युनाइटेड पेमेंट इंटरफेस को विश्वसनीय और उपभोक्ता-सुसंगत होने की जरुरत थी। पहली जरुरत थी एक ऐसी प्रणाली जो दो बैंक खातों के बीच तुरंत फण्ड ट्रांसफर की सुविधा दे पाए। एक खाते को सम्बंधित बैंक के एप से जोड़कर ऐसा किया जा सकता है। उसको मानक और समेकित होना चाहिए।

हालांकि प्रमाणीकरण के दो कारकों को भरने का काम थोड़ा मुश्किल था और ओ टी पी (वन टाइम पासवर्ड) उत्पन्न करना उससे भी मुश्किल। मोबाइल फोन के माध्यम से फण्ड ट्रांसफर की वर्तमान प्रणाली केवल 'पुश' प्रणाली के माध्यम से चलती थी, बैंकों के आई एफ एस सी कोड और खाता नंबर के प्रयोग से। आय कर दाताओं के लेन-देनों के लिए कोई रास्ता नहीं था, जिसमें प्रदाता द्वारा 'एकत्रण' का आवेदन डाला जा सके। तकनीक के लोगों को यह बात भी ध्यान में रखनी होती थी कि देश में अधिकांश मोबाइल फोन सिर्फ मूल विशेषताओं वाले फोन थे।

अप्रैल 2016 तक यू पी आई तैयार था। वह तुरंत भुगतान की सेवा थी, जो एक अनुपम आई डी या कृत्रिम पते पर आधारित थी, जो बैंक द्वारा दिया जाता था और खाते, मोबाइल पिन और आधार से जुड़ा होता था। सफलतापूर्वक किए गए शुरुआती प्रयोगों के बाद, यू पी आई को 20 भागीदार बैंकों को लेकर शुरू किया गया। उन 600-700 मिलियन उपभोक्ताओं के लिए जिनके पास मूल फोन होते हैं, स्मार्ट फोन नहीं, सभी दूरसंचार सेवा प्रदाताओं के क्षेत्रों में '99रु' सेवा प्रदान की गई। इससे भागीदार बैंकों के ग्राहकों को यू पी आई तक पहुँच प्राप्त हुई। UPI के अंतर्गत अधिकांश बैंकों के अपने यू पी आई भुगतान प्रणाली एप होते है जो उनके ग्राहकों के लिए ही होते हैं। शुरू होने के एक साल बाद 50 से अधिक बैंक इससे जुड़ गए।

यू पी आई के आने से भुगतान का तरीका बिलकुल बदल गया। यह जरूर था कि सदस्य बैंकों को यह गारंटी देनी थी कि यू पी आई के भुगतान

सुरक्षित हैं। डिजिटल भुगतानों में अनेक पार्टियां जुडी होती हैं, अनेक संस्थाएं होती हैं, जिसमें ग्राहक भी एक होता है, सनदी बैंक भी और अनेक सेवा प्रदाता, जिससे स्वाभाविक रूप से सुरक्षा भंग हो सकती है। और यदि पार्टियों के बीच कोई विवाद खड़ा हो जाए तो यह जरूरी था कि मामले के निपटान के लिए एक मानक रवैय्या अपनाया जाए।

इंडियन बैंक्स एसोसिएशन के माध्यम से हुई अनेक बैठकों के जरिए से बैंकों और तकनीक प्रदाताओं को बोर्ड पर लाया गया। सदस्य बैंकों को बंद यूजर ग्रुप टेस्टिंग के लिए समर्थन दिया गया और सुरक्षा लेखा परीक्षण और मोबाइल एप्लिकेशन्स की समीक्षा के लिए। बहुत ही कम समय में जागरूकता अभियान शुरू किये गए जो विशेष रूप से बैंकों, टेक्नोलॉजी प्रदाताओं और ग्राहकों के लिए बनाये गए थे।

जैसा पहले कहा जा चुका है, बड़े बैंकों के पास आम तौर पर अपने भुगतान सेवा प्रदाता एप होते हैं लेकिन छोटे बैंकों के पास वह तकनीक या 'बैंड-विड्थ' नहीं होती कि वह ऐसा कर सकें। यदि मोबाइल आधारित भुगतानों को बड़े स्तर पर अपनाया जा सकता ताकि सभी बैंकों के ग्राहक यू पी आई को प्राप्त कर पाते तो इन दरारों को एक सार्वजनिक एप से पूरा करना पड़ता। भीम के आने से सदस्य बैंकों में एक निष्पक्ष एप के माध्यम से एक मानकता आ गई है जो सभी बैंकों को प्राप्त है। और इस प्रकार यू पी आई को शक्ति मिली है की वह सभी अंशधारकों की जरूरतें पूरी कर सके।

भीम एप प्रधान मंत्री ने 30 दिसंबर 2016 को 'डीजी धन मेले' में शुरू किया था। उन्होंने कहा था, "इस तकनीक में यह क्षमता है कि यह गरीबों को सशक्त कर सकती है..छोटे व्यापारी को...दूर दराज गाँव के किसान को और एक आदिवासी को जो जंगल में रह रहा है। उनका प्रयत्न था की वह अपने रेडियो शो 'मन की बात' के माध्यम से डिजिटल लेन- देनों को बढ़ावा दें। कुछ महीनों बाद, 14 अप्रैल 2017 को उन्होंने भीम आधार मंच शुरू किया। यह तारीख उचित ही थी इसलिए कि यह डॉक्टर भीमराव आंबेडकर की 126 वीं जन्म तिथि थी और एप का नाम उनके नाम पर रखा गया है।

इस प्रकार, सरकार ने भुगतान के दो एप्प शुरू किये हैं-आधार एप और भीम, दोनों आपको यह सुविधा देते हैं की आप किसी भी आधार

से जुड़े बैंक खाते से किसी व्यापारी या व्यक्ति को भुगतान कर सकते हैं जो उस एप में पंजीकृत है। 'आधार एप्प' आपके अंगूठे के निशान लेकर भुगतान अनुमित करता है और भीम एप्प 'कृत्रिम पते' की सुविधा से। देने वाले और लेने वाले व्यक्तियों को एक-दूसरे का खाता नंबर नहीं पता होता।

इसलिए आधार एप का उपयोग करने के लिए व्यापारी को उसे 'एप्प स्टोर' से डाउनलोड करना पड़ता है और अपना बैंक खाता नंबर और अन्य विवरण उसमें डालने होते हैं। जब ई-के वाई सी प्रमाणन हो जाता है तो वह लेन-देन करने के लिए अपने स्मार्ट फोन को एक बायो-मीट्रिक स्कैनिंग उपयंत्र से जोड़कर एप का प्रयोग कर सकता है। और ग्राहकों को भी भुगतान करने के लिए व्यापारी के जैसे, आधार से जुड़े बैंक खाते की जरुरत होती है।

अपना आधार नंबर डालकर और पासवर्ड के स्थान पर अपनी ऊँगली के चिह्न लगाकर, बैंकों का चयन करके भुगतान किये जाते हैं ताकि लेन-देन का प्रमाणन हो सके। इससे फोन, डेबिट कार्ड या क्रेडिट कार्ड की जरुरत नहीं पड़ती। यह सेवा 27 बैंकों और 7,15,000 व्यापारियों को लेकर शुरू की गई। इसे प्रचलित करने के लिए लेन-देन के शुल्क को शून्य रखा गया और व्यापारियों को भीम एप कॅश बैक के रूप में प्रलोभन दिए जाते थे और ग्राहकों को रेफरल (निर्देश-परक) बोनस दिया जाता था। (इसका 6 महीनों का खर्च 495 करोड़ आया)।

इसके पीछे सोच यह थी कि बिना नगद की अर्थव्यवस्था का चलन सभी तबकों के लोगों में प्रचलित हो। इस प्रक्रिया को आगे बढ़ने के लिए प्रधानमंत्री ने बिना नकद के ऐसे 75 शहरों की घोषणा की (जिनमें से 56 गुजरात में थे) जहाँ 80% लेन-देन डिजिटल रूप में किये जा रहे थे। इनका चयन 'प्राइस वाटर हाउस कूपर' कंपनी द्वारा किये गए तीसरी पार्टी के आंकलन के आधार पर किया गया। मानदंडों में शामिल था भुगतान स्वीकार करने की सम्पूर्ण अवसंरचना का होना और वहां रह रहे सभी परिवारों को ऐसे प्रोग्राम्स के बारे में प्रशिक्षण देना।

यू पी आई के द्वारा एक खाते से दूसरे खाते में भुगतान अनुमित करने के अलावा यह ये सुविधा भी देता है कि वह बैंक के कृत्रिम पते का

उपयोग करके अपने आई एफ एस सी और एम् एम् आई डी के माध्यम से उन लोगों को पैसे हस्तांतरित कर सकते हैं जिनके पास यू पी आई से जुड़ा खाता या स्मार्ट फोन नहीं होता। सम्बंधित बैंक के कृत्रिम पते को लेकर एक व्यक्ति से दूसरे व्यक्ति को भुगतान किए जा सकते हैं। आप एम् पी आई एन डालकर भीम में 'लॉग-इन' कर सकते हैं और फिर अपना मोबाइल नंबर या कृत्रिम पता डालकर भुगतान कर सकते हैं।

भीम का फायदा यह है कि लेन-देन ऑफलाइन किए जा सकते हैं और साधारण फोन पर भी किए जा सकते हैं। इंटरनेट होना जरूरी नहीं है। यह एप एक निर्धारित राशि के भुगतान के लिए क्यू आर कोड का प्रयोग भी कर सकता है जिसे प्राप्त-कर्ता स्कैन कर सकता है। भीम चार तरीकों का प्रयोग करता है: कृत्रिम पता, क्यू आर कोड, आई एफ एस सी और एम् एम् आई डी कोड और उसे अनेक ऑपरेटिंग सिस्टम्स पर डाउनलोड किया जा सकता है।

इसे नेशनल पेमेंट्स कारपोरेशन ऑफ इंडिया ने बनाया है और इसकी खूबी यह है कि यह बहुत ही सरल है। किसी भी बैंक का कोई भी ग्राहक इसे मुफ्त में डाउनलोड कर सकता है, अपनी जानकारी उसमें भर सकता है और पैसे हस्तांतरित कर सकता है या शेष के बारे में जानकारी ले सकता है। खाता नंबर या आई एफ एस सी कोड याद रखने की जरुरत नहीं है। हाँ, इतना जरूर है कि आप जिस फोन नंबर का उपयोग कर रहे हैं वह वही होना चाहिए जो बैंक खाते में लिखवाया गया है। शुरू में यह एप केवल अंग्रेजी और हिंदी में था लेकिन अब यह सात अन्य भाषाओँ में उपलब्ध है।

एन सी आई पी के अनुसार अगस्त 2017 तक एप्प को 1 करोड़ 70 लाख बार डाउनलोड किया जा चुका था-इससे 52 बैंक जुड़ चुके थे और इसमें लगातार प्रगति हो रही थी। लेन-देनों के संख्या जनवरी 2017 में 1.7 मिलियन से बढ़कर जुलाई 2017 में 5.4 मिलियन हो गई। और पैसों का हिसाब किताब देखा जाए तो यह जनवरी 2017 में 356 करोड़ था, जो जुलाई 2017 में बढ़कर 600 करोड़ हो गया।

'भीम' आपसे अनेक बातों की अनुमति लेने के लिए आपको बार-बार परेशान नहीं करता। इसे मोबाइल नंबर के प्रमाणन के लिए एस एम् एस

तक पहुँच चाहिए होती है और यदि क्यू आर कोड को स्कैन करना है, तो कैमरा चाहिए होता है। जिन ग्राहकों के पास यू पी आई होते हैं वह पाएंगे कि भीम स्वत: रूप से उनके बैंक खातों से जुड़ जाता है। जिनके पास नहीं हैं, वह उपलब्ध सूची से बैंक का चयन कर सकते हैं और बैंक के प्रतीक चिह्न पर क्लिक करके यू पी आई पिन की सेटिंग कर सकते हैं। साथ ही एक पासकोड भी होता है।

भुगतान एक मोबाइल फोन से किए जा सकते हैं या एक यू आई एल पते को जो सामान्य रूप से एक मोबाइल नंबर या नाम होता है जिसमें अंत में @upi लगा होता है। एन सी पी आई के अनुसार भीम एप कंप्यूटर भाषा में लिखा एक कोड है जो परस्पर रूप से दूसरे बैंकों के साथ अन्य यू पी आई एप्प के साथ डाटा के आदान-प्रदान और क्रियान्वयन का तरीका है।

भीम का एक और बड़ा फायदा है के कि आपको किसी इ-वॉलेट में पैसे डाउनलोड करने की जरुरत नहीं पड़ती, जहाँ वह ऐसे ही पड़े रहते है और उपभोक्ता को कोई ब्याज नहीं मिल पाता। भीम सीधा बैंक खाते से पैसा हस्तांतरित करता है।

आदान-प्रदान का एक माध्यम और मूल्य का भंडार होने के अलावा पैसे की एक अन्य विशेषता है कि उसे चलायमान होना चाहिए। सबसे पहले जब 3000 वर्ष पहले एलेक्ट्रम कोइन्स बनाने से लेकर चीन में प्रचलित किए गए कागजी पैसे से लेकर आज के डिजिटल लेन-देनों तक, पैसा अधिक चलायमान होता जा रहा है। आज के दिन इसका सबसे चलायमान रूप है 'भीम-आधार मंच'।

यदि प्रधान मंत्री नरेंद्र मोदी जो चाहते हैं वह हो जाए तो आपका पर्स या वॉलेट पुराने जमाने की चीजें हो जाएँगी। जब आप खरीदारी के लिए निकलेंगे तो आप अपना पर्स पीछे छोड़ पाएंगे, आपके पास केवल अपना अंगूठा रहना चाहिए। भीमराव आंबेडकर जरूर यह देखकर जरूर खुश होते कि 'अंगूठा', जिसे अब तक अशिक्षित होने का प्रतीक माना जाता था, अब सशक्तिकरण का प्रतीक बन गया है।

संदर्भ

1. http;//www.livemint.com/Industry/F7UNqEPpaZhUiZA1qxdHyH/PM- Narendra-Modi-launchcs-BHIMAadhaae-platform-with-incent-html(Published on 14 April 2017)
2. http://pib.nic.in/newsite/PrintRelease.aspx?relid=161046 (Published an 14 April 2017)
3. http;//www.prinews.com/news/8609406_Modi-launches-75-cashless-townships-across-12-states.html(Pnblishcd on [4 April 2017)
4. http;//www.thehindu.com/business/Industry/BHIM-app-safer-than-mobile-wallets-says-e-security-firm/article17009140.ece(Published on 8January,2017)

अध्याय 17

फिर राह पर

भारतीय रेल को हरियाली से लैस करना

हम कह सकते हैं कि रेल का डिब्बा एक चलता-फिरता छोटा-सा संसार है, जिसमें यात्री खाना खाते हैं, सोते हैं, नहाते हैं, काम करते हैं, और एक दूसरे से बातें करते हैं और उनके पास मनोरंजन के साधन भी होते हैं। अन्य किसी भी इंजन द्वारा चलाये जाने वाले यातायात के यंत्र के जैसे, इसका भी अपना कार्बन फुटप्रिंट होता है। डिब्बे में जो सुविधाएँ दी जाती हैं, जैसे वातानुकूलन, पंखे, रोशनी, आदि, ऊर्जा और पानी का प्रयोग करती हैं और बड़े तौर पर वायु और मृदा प्रदूषण के लिए जिम्मेदार हैं।

हालाँकि रेल यात्रा, यातायात का सबसे ईंधन-सक्षम तरीका है, भारतीय रेल का विशालकाय जाल इसके कार्बन फुटप्रिंट को बहुत बड़ा बना देता है। प्रतिदिन करीब 20,000 यात्री और माल-भाड़े की गाड़ियां चलती हैं, जिनमें 2 करोड़ 30 लाख यात्री सफर करते हैं और 30 लाख टन सामान का परिवहन होता है। इन आंकड़ों को देखते हुए यह देश की 'सबसे अधिक ऊर्जा की खपत' करने वाली संस्था है। साथ ही यह प्रतिदिन सैकड़ों मिलियन टन का मानव-मल भारतीय जमीन पर गिराती हैं। यह मानते हुए कि 1 करोड़ 60 लाख यात्री लम्बी-दूरी की यात्रा करते हैं, और प्रत्येक व्यक्ति 200-400 ग्राम मल उत्पन्न करता है, करीब 2-4 मिलियन टन मल रेल के पथ पर रोज गिरता है, जिसके साथ सैकड़ों लीटर पानी भी होता है।

इन सब बातों से निपटने के लिए भारतीय रेल ने निर्णय लिया है कि वह जितना हो सकेगा वह ऊर्जा उत्पादन को कार्बन मुक्त करेगी, 'जैव-शौचालयों' के प्रयोग को बढ़ावा देगी और डिब्बों को बनाने में हरे पदार्थों का उपयोग करेगी। इसने यह निर्णय भी लिया है कि यह संरक्षण करके पानी की खपत कम करेगी और रेल की भूमि पर पेड़-पौधे लगाएगी।

ऊर्जा को लेकर प्रस्ताव यह है कि वह सौर और वायु ऊर्जा से 1150 मेगा वाट स्वच्छ ऊर्जा उत्पन्न करेगी। सौर-पैनल क्षेत्र-प्रधान होते हैं इसलिए योजना के अंतर्गत हजारों एकड़ में फोटोवोल्टिक यंत्र लगाने पड़ेंगे। रेलवे के पास पर्याप्त भूमि है-अपने डिब्बों की छतों के रूप में (बशर्ते की उनपर यात्रा नहीं कर रहे, जैसा अक्सर होता है, लेकिन जिस पर 2010 में प्रतिबन्ध लगा दिया गया था) और 8000 से अधिक प्लेटफार्म हैं जहाँ पर यह पैनल लगाए जा सकते हैं। सौर-ऊर्जा का 1000 मेगा वाट का लक्ष्य जमीन पर आधिरत होगा और बाकी ट्रैन के ऊपर लगे सौर पैनलों से पूरा होगा। मई 2016 तक यह क्षमता केवल 50 मेगा वाट की थी, जिसमें पवन-ऊर्जा 37 मेगा वाट शामिल थे।

वर्तमान में ट्रेनें या तो स्वत: बनाई जाने वाली ऊर्जा-प्रणाली पर निर्भर हैं, जिसमें ट्रैन के चलते हुए पहिये एक डाइनेमो को घुमाते हैं जिसकी बैटरी चार्ज हो जाती है और वह बड़े बड़े डीजल के जनरेटर को ऊर्जा प्रदान करते हैं। यह गैर वातानुकूलित डिब्बों के लिए पर्याप्त होता है, जबकि वातानुकूलित डिब्बों को डीजल की ऊर्जा चाहिए होती है। दोनों ही तरीका महंगे और असक्षम हैं। रेलवे का अनुमान है कि ऊर्जा की एक इकाई की कीमत..है, जबकि दिल्ली में घरेलू उपभोक्ता प्रति इकाई के लिए 7.30 रुपए देते हैं। शुरुआत के रूप में गैर-वातानुकूलित डिब्बों के लिए सौर-ऊर्जा शुरू की गई थी, जिन्हें 3 मेगा वाट की जरुरत होती है।

'कालका-शिमला' और 'जोगिन्दर नगर-पठानकोट' के पतले रास्ते के बीच प्रशिक्षण किए गए, उसके बाद चौड़े रास्ते पर रेवाड़ी-सीतापुर रास्ते पर एक शुरुआती योजना चलाई गई और पूरे जोधपुर विभाग में, जहाँ तेज धूप की कोई कमी नहीं है।

ट्रेन की छतों पर सौर पैनल लगाना इतना आसान नहीं है। तकनीकी मुश्किलों में से एक थी कि घुमावदार छतों पर चपटे पैनल कैसे लगाए जाएँ, ताकि वह ट्रेन के चलने पर अपने स्थान से हिले नहीं। अन्य मुश्किलें थीं कि पैनल के अतिरिक्त भार को कैसे सुसंगत किया जाए (प्रत्येक पैनल करीब 22 किलो का होता है और प्रत्येक छत पर 12 पैनल लगाए जाते हैं) और कैसे उन पैनल को धूल-मिट्टी रहित रखा जाये ताकि वह सक्षम रूप से काम करें।

परीक्षण के दौरान यह पाया गया कि छतों पर सौर पैनल लगाने से डिब्बे की गर्मी कम हो जाती है, क्योंकि ट्रेन के चलने से पैनल ठंडा हो जाता है और सतह की धूल भी हट जाती है। लेकिन जो बात फायदे की नहीं है वह है की यह पैनल दिन में भी पूरी क्षमता पर काम नहीं कर पाते, क्योंकि उन पर सूरज की सीधी रोशनी नहीं पड़ती। बीच में बादल, पेड़ और पानी की टंकियां जैसी चीजों से रूकावट पैदा होती है। सम्पूर्ण रूप से शुरुआती प्रोजेक्ट सफल रहा क्योंकि यह सुनिश्चित किया गया कि गैर वातानुकूलित डिब्बों में सस्ती और भरोसेमंद ऊर्जा की आपूर्ति होती रहे। भूमि-आधारित सौर ऊर्जा का कारखाना जिसकी क्षमता 'मध्यम' दर्जे की थी, वह कटरा स्टेशन (जम्मू और कश्मीर) में 2015 में लगाया गया और 300 अन्य स्टेशन्सों पर काम चल रहा है। भारतीय रेल की ऊर्जा की खपत को दो श्रेणियों में विभाजित किया जा एकता है: ट्रैक्शन (ट्रैन) और जमीनी सुविधाएँ जैसे, स्टेशन, रेल यार्ड, कार्यालय, आदि) कुल मिलाकर इन सब ने 2015-16 में 1 अरब 60 करोड़ इकाई की ऊर्जा इस्तेमाल की जिसमें से ट्रेंस ने 80 प्रतिशत का प्रयोग किया। पैसों की दृष्टि से रेलवे ने एक वर्ष में करीब 30,000 करोड़ रुपए ऊर्जा पर खर्च किये।

ट्रैक्शन दो तरह का होता है: इलेक्ट्रिक और डीजल। रेलवे के डिब्बे प्रति वर्ष करीब 2.6 बिलियन लीटर ईंधन का उपयोग कर लेते हैं। अभी तक, देश की करीब आधी रेल की पटरियों का विद्युतीकरण किया जा चुका है, और अनुमान है की करीब 55 फीसदी डिब्बे और 65 फीसदी माल-भाड़ा यातायात के लिए जिम्मेदार हैं लेकिन वह उसके ईंधन के बिल का केवल 35 फीसदी हैं। भारतीय रेल ने 2021 तक सम्पूर्ण विद्युतीकरण की योजना बनाई है, जिससे ऊर्जा का बिल 26,500 करोड़ से घटकर 16,000 करोड़ हो जाएगा।

वेब आधारित 'इलेक्ट्रिकल एनर्जी मैनेजमेंट सिस्टम', रेल सर्वर (जिसे अप्रैल 2014 में शुरू किया गया) ऊर्जा खपत के आंकड़ों का विश्लेषण करती है इस उद्देश्य से कि वह ऊर्जा संरक्षण के प्रयत्नों को बढ़ावा देगी। ऊर्जा के लेखा-परीक्षण और एल इ डी का वितरण निरंतर चलने वाले कार्य हैं।

भारतीय रेल के जाल को दुनिया के सबसे लम्बे शौचालय के रूप में निरुपित किया गया है। रेल की पटरियां मल करने के सबसे पसंदीदा स्थान हैं और ट्रैन के शौचालयों में से निकले मल में और इजाफा हो जाता है। जैसा पहले कहा गया है, मानव-मल, प्रदूषण का एक बड़ा कारण है और रेल की पटरियों को बहुत नुकसान पहुंचता है और उनके रख-रखाव में बहुत पैसे खर्च होते हैं। यह मल, डिब्बों के निचले भागों पर भी लग जाता है और इससे फिशप्लेट्स और कास्ट आयरन की सीटें भी सड़ जाती हैं, जिनकी सहायता से डिब्बे पटरियों से जुड़े रहते हैं। यह बहुत खतरनाक साबित हो सकता है और ट्रेन पटरी से नीचे उतर सकती है। इसके अलावा हजारों सफाई कर्मचारी इस गंदे काम को करने में इतने घंटे लगाते हैं और यह मल धोने की अमानवीय प्रथा पर लगे प्रतिबन्ध के खिलाफ है।

इसका मुश्किल का हल ढूंढने में रेल के अभियंताओं ने कई दशक बिता दिए और अंत में उन्हें एक हल मिला जो असैनिक इंजीनियरिंग में नहीं था, बल्कि अजीब बात यह है कि वह जैव-तकनीक में मिला और वह भी सियाचिन हिमनद से; वहां जो सैनिक नियुक्त होते हैं, उनके सामने एक अजीब समस्या होती है- उस ऊंचाई पर मानव मल प्राकृतिक रूप से सड़ता नहीं, बल्कि भावी रूप से बर्फ की चोटियों को प्रदूषित करता है, जो उनके पीने के पानी का स्त्रोत है। 'डिफेन्स रिसर्च एंड डेवलपमेंट आर्गेनाईजेशन' के वैज्ञानिकों ने एक बिना हवा के प्रयोग वाला सूक्ष्म जंतु विकसित किया जो पानी को सड़ा सकता था। इससे 'बायो डाइजेस्टर' शौचालयों की सोच उत्पन्न हुई जो प्रदूषण रहित होते हैं। रेलवे के शौचालयों की बनावट में थोड़ा-सा बदलाव लाकर यही सिद्धांत उन पर लागू किया गया लेकिन एक अलग श्रेणी के सूक्ष्म जंतु के प्रयोग से।

अभी तक 17,000 रेल के डिब्बों में 48,000 जैव-शौचालय लगाए जा चुके हैं, ताकि रेल की पटरियां साफ रहें। रेलवे के दो पूरे भाग-141 किलो मीटर लम्बे 'ओखला-कनौज' रूट और गुजरात का 34 किलो मीटर लम्बा 'पोरबंदर वंसजलिया' का क्षेत्र अब हरा भरा बन चुका है। इस रास्ते पर चल रही सभी ट्रेनों में जैव-शौचालय हैं। इनकी एक और विशेषता है कि इस तकनीक को इस बात का पता होता है कि इन शौचालयों में ठोस

कबाड़ भी फेंका जाएगा जैसे पान-मसाले के पैकेट, प्लास्टिक की बोतलें और सभी तरह की प्लास्टिक। यदि यह सब न फेंका जाए तो रख-रखाव करना आसान हो जाए। इस रवैय्ये को रोकने के उद्देश्य से अब यात्रियों को 'बायोडिग्रेडेबल गार्बेज बैग्स' उपलब्ध कराए जा रहे हैं। रेलवे ने पर्यावरण प्रबंधन निर्देशालय की देख-रेख के अंतर्गत अन्य ग्रीन पहल भी शुरू किये हैं। इसका एक उदाहरण है रेल की पटरियों को हरा किया जाना। रेलवे के पास कुल मिलकर 450,000 हेक्टेयर भूमि है, जिसमें शामिल है उसकी पटरियों के साथ चलने वाली सीमा-वर्ती भूमि जो 1,15,000 किलो मीटर लम्बी है, जहाँ हर वक्त लोग गैर कानूनी रूप से रह रहे होते हैं और भू-क्षरण होता रहता है। 2016 में पंजाब और हरियाणा के वन विभागों से कहा गया था कि वह रेल की पटरियों के साथ साथ 5,00,000 लाख पेड़ लगाएं। 2016-17 में पूरे देश में रेल भूमि पर 1 करोड़ बीस लाख से अधिक पौधे लगाए गए। अभी तक, रेल की 45,000 हेक्टेयर भूमि पर पेड़ लगाए जा चुके हैं और इतना ही क्षेत्र अभी खाली है।

रेलवे द्वारा किये गए जल-संरक्षण के प्रयत्नों में शामिल है 1,527 पानी के निकाय जिनमें आते हैं तालाब, डैम (बाँध), रिजर्वायर, कुँए और बावड़ियां (स्टेप वेल) हैं, जिनमें से कई तो सूख चुके हैं। इनमें से 40 को दोबारा जीवित किया गया है। हैदराबाद क्षेत्र में 4 कुओं में से प्रतिदिन 4.70 लाख लीटर पानी प्राप्त हो रहा है, जो 22 लाख रुपए हर महीना पानी की बचत है। 3000 से अधिक स्थानों पर बारिश के पानी को सुरक्षित रहने की प्रणालियाँ लगाई गई हैं। पानी की बर्बादी कम करने के लिए रेलवे अपने प्रक्रमण कारखानों में प्रतिदिन 12.6 मिलियन लीटर पानी का पुनःप्रयोग करता है। मंत्रालय को उम्मीद है की 2017 के अंत तक इसे 350 मिलियन लीटर प्रतिदिन कर दिया जायेगा और उसका अनुमान है कि पानी के बिलों में करीब 3000 करोड़ रुपए की बचत होगी।

एक अन्य नई पहल है पर्यावरण-अनुकूल स्लीपर या बर्थ बनाना जो रीसायकल (पुनः प्रयोग में लाई गयी) प्लास्टिक से बनाए जाते हैं। ऐतिहासिक रूप से रेलवे स्लीपर सागवान की लकड़ी के बने होते थे जिससे बहुत सारे वनों को काटना पड़ता था। यह पुराने रेलवे स्लीपरों की अभी भी लकड़ी का सामान बनाने वालों में बहुत मांग है, क्योंकि यह लकड़ी बहुत मुश्किल से मिलती है।

वर्तमान में कंक्रीट (पत्थर) से बने स्लीपर्स का चलन है। प्लास्टिक के यह नए स्लीपर सभी 'गर्डर ब्रिड्जस' में लगाए जा रहे हैं। इनकी देख-रेख आसान है और ट्रेन अधिक गति पर चल सकती है और अपनी 'धुरी' पर अधिक भार ले सकती है। पर्यावरण और जल संरक्षण के प्रयत्नों का एक उद्धरण है 'मालदा' में मशीनी लांड्री में पुनः चक्रण की सुविधा। यह प्रणाली ऐसी ही कि यह, जितना धुआं बनता है, उसका अधिकांश भाग कपडे धोने और प्रेस करने में प्रयोग कर लेती है। धुआं आसमान में जाने के बजाए एल्युमीनियम के दो बक्सों में भर दिया जाता है और फिर इस धुंए को वापस बायलर में पंप किया जाता है। इस घनीभूत धुंए का तापमान 55 डिग्री सेन्ट्रीग्रेड होता है, जबकि साधारण पानी का तापमान करीब 25 डिग्री होता है, इसलिए पानी को धुआं बनाने के लिए कम गर्मी चाहिए होती है।

हमें यह जानने के लिए ज्यादा दूर देखने की जरुरत नहीं है कि नवीकृत ऊर्जा के प्रति इतना प्रोत्साहन कौन दे रहा है। प्रधान मंत्री नरेंद्र मोदी हरित ऊर्जा को प्रोत्साहन देने के लिए जाने जाते हैं और विशेष रूप से सौर ऊर्जा को। बांधों से लेकर खेतों तक पानी ले जाने का काम हजारों वर्षों से नहरें करती आयी हैं। और कम से कम दशकों से भारत सौर ऊर्जा का फायदा उठाने के नए तरीकों की तलाश में है, लेकिन गुजरात में नरेंद्र मोदी के प्रशासन के नीचे ही यह काम हुआ कि इन चेनलों को सौर ऊर्जा के पेनल्स से कवर किया जाता है जिससे पानी भाप बनकर न उड़ जाए और साथ ही सौर्य ऊर्जा मिलती रहे। इसलिए कोई आश्चर्य की बात नहीं है की प्रधानमंत्री बनने के बाद सबसे पहली बात उन्होंने यह की कि 'अंतरराष्ट्रीय सौर अलायन्स' की स्थापना की जिसमें 121 'सनशाइन' देश हैं और जिसका मुख्यालय गुडगाँव में स्थित है। भारतीय रेलवे ने जो 'पहल' की हैं, उनके प्रभाव से भारत की ऊर्जा की खपत में बहुत बदलाव आएगा और वह 2030 तक के उत्सर्जन में कमी के लक्ष्यों को प्राप्त कर सकेगा। और इसके साथ ही सम्पूर्ण रूप से रेलवे के विद्युतीकरण, पेड़ लगाकर कार्बन को बांधना, जल संरक्षण और स्वच्छ रेल की पटरियों से भारतीय रेल एक नए भारत के लिए विकास का इंजन बन सकता है।

संदर्भ

1. Press information Bureau Government of lndia. Ministry of Railways, 27 April 2016: http://pib.nic.in/newsite/PrimRelease aspx/relid=141527
2. http://indianexpress.com/article/india/railway.aim-to-save-rs-4100.crore-on-energy-consumption-expenses-says-suresh-prabhu-4585 (Published on 25 March 1017)
3. http://www.business-standard.com/article/economy-policy/ronment-protection-fuel-bill-115012900178_1.html (Published on 2 February 2015)
4. http://www.thehindubusinessline.com/economy/logistics/railways-working-to-reduce-energy-bill/article8999627/.ece (Published on I7 August 2016)
5. Press Information Bureau .Government of India . Ministry of Railways, 5 June 2015. http: // pib .nic. in/newsite/ Print Releas .aspx?relid=122334
6. http??beeindia.gov.in/sites/default/files/Energy%20Efficiency%20Initiatives%20by%20Railways.Mr.Kishore%20kumar_0.pdf (14 Junc 2016)
7. Jal Thal Mal by Sopan Joshi, Gandhi Peace Foundation, 2016
8. Indian Railways. and Amenities Directorate:http://www.indianrailways.guv.in/railwayboards/uploads/directorate/land_ amen/land.isp
9. Press Information Bureau, Government at lndia, Ministry at Railways. 2 May 2016: http://pib.nic.in/newsite in/nrwxire/|'rintReleasc.aspx?r=lid=14466!
10. Press information Bureau, Gavernment of lndia, Ministry of Railways. 31 March 2017: http://pib.nic.in/newsite/PrintRelease.aspx?relid= 160298
11. Governmental India. Ministry of Railways, Lok Sabha qucstion no 552 on water management of India railways, answered on 12 April 2017:http//164.100.47.190/loksabhaquestion/annex/11/A5552.pdf

12. http://indianexpress.com/article/india/indian.railways-to-save-rs-300-crore-on-water-bill-4690228 (Publlsl'lnd on 5 June 2017)
13. http://www.livcmint.com/politics/IzY08kjKI4M2EmOingBVI/=Indian-Railways-plan-to-revive-l500-water-bodies-gets-a-boo.html (Published on 3 April 2017)

भारत के प्रधान मंत्री बनने से कई वर्ष पहले नरेंद्र मोदी ने अपने लिए एक अच्छे शासक होने का नाम कमाया था और उन्हें अच्छे शासक होने का खिताब ही दे दिया गया था। उन्होंने एक दशक में गुजरात के लिए अनेक नई 'पहल' लागू कीं और कई अभ्यास भी किए ताकि राज्य में समय से जनसमस्याएं हल हों और लोगों को उनका लाभ मिले।

इस दौरान उन्होंने अच्छे शासन पर अनेक भाषण दिए। यहाँ हम उनके भाषणों में से कुछ का उल्लेख कर रहे हैं। इसे मुंबई में हुए भा ज पा के मुख्यमंत्रियों के सम्मेलन में रामभाऊ म्हालगी प्रबोधिनी में मुख्य सम्बोधन के रूप में कहा गया था। अपने भाषण में श्री मोदी ने बहुत लम्बे समय तक अच्छे शासन की बात की और कुछ नए आइडियाज की चर्चा भी की। उनके भाषणों की मुख्य बातों में उनकी सोच का पता चलता है इसलिए हम कुछ चुने हुए वाक्यों का उल्लेख ही कर रहे हैं।

सुराज संकल्प

नरेंद्र मोदी

'लोकतान्त्रिक शासन', ये शब्द ही स्वतंत्रता, आजाद प्रेस और स्वतंत्र न्यायपालिका को व्यक्त करते हैं। यह माना जाता है कि लोकतान्त्रिक शासन अच्छा शासन प्रदान करेगा। वैसे तो दबंग राज्य भी अच्छा शासन प्रदान कर सकते हैं, लेकिन जरूरी नहीं कि वह लोकतांत्रिक हो। दूसरे हाथ पर एक लोकतान्त्रिक शासन को लोगों को सशक्त करना चाहिए और उन्हें विकास कार्यों का केंद्र बनाना चाहिए; वह न केवल उत्पादन के स्वामी होने चाहिएं, बल्कि प्रक्रिया भी उनकी होनी चाहिए। इस प्रकार हम कह सकते हैं कि लोकतान्त्रिक शासन में अच्छा शासन शामिल तो होता है, लेकिन यह भी है कि इसके अलावा यह इस बात को भी सुनिश्चित करता है कि यह प्रक्रिया व्यक्ति-प्रधान हो। और साथ ही, लोकतान्त्रिक प्रणाली के लिए अच्छे शासन का होना महत्वपूर्ण माना जाता है।

अच्छे शासन पर जो लिखित सामग्री है उसमें अक्सर हम यह देखते हैं की उसे राजनीति से अलग देखा जाता है, लेकिन ऐसा नहीं होता। जब तक राजनैतिक पार्टियां यह नहीं समझतीं की अच्छा शासन बहुत महत्वपूर्ण है, और उसे अपने घोषणापत्र का भाग नहीं बनातीं, इसे हासिल करना बहुत मुश्किल है।

क्या अच्छा शासन हमारे लिए नई बात है?

सुराज (अच्छा शासन) या सुशासन (अच्छा प्रशासन) भारतीयों के लिए कोई नई बात नहीं है इसलिए कि हम राम-राज्य के बारे में अपने बचपन से सुनते आ रहे हैं। राम-राज्य की धारणा और 'गीता' में भगवान कृष्णा ने अर्जुन को जो सलाह दी थी, वह अच्छे शासन के बारे में है। बल्कि इसमें

से कुछ बातें तो हमारे संविधान में भी लिखी हैं। अच्छे शासन के लिए हमारे सामने क्या चुनौतियाँ और मुद्दे होते हैं? अलग-अलग लोगों के लिए सु-राज का अलग-अलग अर्थ होता है और हमें जरुरत है कि हम उसे ठीक से समझें, इसलिए कि जब तक हम इसका महत्व नहीं समझते, व्यक्ति-आधारित उद्देश्यों को प्राप्त करना या कोई बेहतरी लाना मुश्किल होता है। सु-राज का अर्थ है ऐसा शासन जो सभी के परोपकार के बारे में सोचे और यह असैनिक समाज के साथ सरकार के सभी विभागों का सहयोग चाहता है - एक ऐसे तरीके से, जो उचित है और जिसमें भेदभाव नहीं है। यह विस्तृत रूप से समाज की भलाई के लिए राजनैतिक शक्ति का सही प्रयोग है, जो लोगों के जीवन में सुधार लाता है।

अच्छा शासन यह है कि आप अच्छे और बुरे, उचित और अनुचित, नैतिक और अनैतिक में फर्क समझने की क्षमता रखें। अर्थशास्त्र में कौटिल्य कहते हैं कि ऐसा सुनिश्चित करने के लिए जो व्यक्ति शासन कर रहा है, उसे यह समझना चाहिए कि उसकी खुशी और उसका परोपकार उसकी प्रजा की खुशी और उनके परोपकार में है। वह यह भी कहते हैं कि शासक को यह नहीं सोचना चाहिए कि उसे क्या अच्छा लगता है; बल्कि यह कि उसकी प्रजा के लिए क्या अच्छा है। लेकिन केवल इतना ही अच्छे शासन के लिए पर्याप्त नहीं है। बल्कि, लोकतान्त्रिक शासन के शासन के अनुसार, प्रजा केवल प्रजा नहीं होती, वह भागीदार भी होती है। यह उस शासन को स्पष्ट करता है जिसमें शामिल है सभी अंशधारक-विधान, न्यायपालिका, कार्यकारिणी, निजी क्षेत्र, असैनिक समाज और नागरिक। शासन, 'सरकार की फाइलों और प्रक्रियाओं' के परे है। अच्छे शासन की अलग अलग परिभाषाएं दी गई हैं। कुछ के लिए यह न्याय का मिलना, सशक्तिकरण, सेवाओं का सक्षम रूप से मिलना, आदि है; और कुछ के लिए यह बाजार, राज्य और असैनिक समाज के बीच का रिश्ता है। एशियाई डेवलपमेंट बैंक के अनुसार, इसके 4 प्रमुख अंग हैं जिम्मेदारी, पारदर्शिता, पूर्वनुमेयता और भागीदारी। विश्व बैंक के अनुसार इसके चार मुख्य अंग हैं सार्वजनिक क्षेत्र का प्रबंधन, जिम्मेदारी, कानूनी ढांचा और जानकारी और पारदर्शिता। अंतरराष्ट्रीय विकास के विभाग के अनुसार यह तीन मुख्य धारणाओं के इर्द-गिर्द केंद्रित है- राज्य की क्षमता, जिम्मेदारी और प्रतिक्रिया देने की क्षमता।

मुख्य अंग

अनेक परिभाषाओं को ध्यान में रखते हुए हम इस निष्कर्ष पर पहुँच सकते हैं कि अच्छे शासन के प्रमुख अंग हैं:

- जिम्मेदारी- राजनैतिक और सत्तावादी
- निर्णय लेने की प्रक्रिया में अनेक अंशधारकों की भागीदारी
- कानून का नियम
- जानकारी के प्रति पारदर्शिता और स्वतंत्रता।
- प्रतिक्रिया देने की प्रक्रिया
- साम्य और समावेशन।
- प्रभावी और सक्षम प्रशासन
- शिकायत निवारण की तगड़ी प्रणाली

अच्छा शासन इन कारकों का कारण और प्रभाव दोनों है। कभी-कभी अच्छे शासन की चर्चा अंडे और मुर्गी के सवाल के जैसी प्रतीत होती है। कौन पहले आया? क्या अच्छे शासन से सब बातें उत्पन होती है या ऊपर कही गई बातें अच्छा शासन देने में सक्षम होती हैं? प्रश्न यह है कि यदि अच्छा शासन नहीं है तो उसे कैसे लाएं? राजनैतिक पार्टियों और अन्य एजेंसियों (इंटरनेशनल फंडिंग एजेंसियां जैसे IFAs) और NGOs के बीच मुख्य फर्क यही है। IFAs और NGO यह मानते हैं कि अच्छा शासन असैनिक समाज और NGOs के द्वारा लाया जा सकता है। लेकिन हालाँकि असैनिक समाज की भूमिका महत्वपूर्ण है, क्या यह राजनैतिक प्रक्रियाओं और राजनैतिक इच्छा के बिना संभव है? क्या यह प्राप्त किया जा सकता है जब तक राजनैतिक पार्टियां अच्छे शासन की जरुरत को न समझें? और यदि योजनाओं, बाहरी फंडिंग और सहायता के माध्यम से भी यदि अच्छा शासन मिल जाता है तो क्या वह संधारणीय और स्थाई रहेगा?

इसलिए यह चर्चा बहुत जरूरी हो जाती है- न्यायोचित तरीके से राज्य करने की क्षमता कुछ गुणों पर निर्भर करती है जिनके साथ कोई भी समझौता नहीं किया जा सकता और यह सोच ठीक से समझी नहीं गई है। इसलिए हमें समझने की जरुरत है कि जिसे हम अच्छा शासन मानते हैं वह वाकई में अच्छा शासन है या नहीं और इसका अर्थ क्या है। यदि हम वाकई अगली

पीढ़ी की भलाई चाहते हैं तो हमें आगे की चुनौतियों का सामना करने के लिए अच्छे शासन की जरुरत होगी।

आमतौर पर यह सोचा जाता है कि 'अच्छे शासन' का अर्थ है 'बुरी राजनीति'। इसके कारण राजनीति में जो लोग होते हैं वह अच्छा शासन नहीं दे पाते। हमें अपना रवैय्या बदलना चाहिए और अच्छे शासन को भी अच्छी राजनीति मानना चाहिए। अक्सर होता यह है कि सरकारें चुनावी लाभ पाना चाहती हैं, वह लोगों के दिल जीतने के बारे में नहीं सोचतीं। संसाधनों की उपलब्धतता, शिक्षा, सुरक्षा और जीवन स्तर, कुछ बातें हैं जिनसे अच्छा शासन मिल सकता है। अच्छे शासन की मेरी निजी सोच है 'पंचामृत' जिसका अर्थ है कि हम ज्ञान शक्ति, ऊर्जा शक्ति, जल-शक्ति, रक्षा शक्ति और जन-शक्ति पर ध्यान दें। लोगों की भागीदारी केवल अच्छे शासन का हिस्सा नहीं है, बल्कि अच्छे लोकतांत्रिक शासन का मुख्य पहलू है। हमारा लक्ष्य है तीन प्रकार की भागीदारियां:

- सरकार-नागरिक भागीदारियां
- सार्वजनिक क्षेत्र-निजी क्षेत्र भागीदारियां
- सार्वजनिक और सार्वजनिक क्षेत्र की भागीदारियां।

जिम्मेदारी, अच्छे शासन का एक मुख्य अंग है। एक लोकतान्त्रिक व्यवस्था में, सरकार लोगों के प्रति जिम्मेदार है। लेकिन, इसके अनेक पहलू हैं; पहला है लोकतान्त्रिक रूप से चुनी गई कार्यकारिणी और विधान की जिम्मेदारी। इसकी देखभाल चुनाव प्रक्रिया कर लेती है। राजनेताओं को पांच साल में लोगों को जवाब देना होता है। कई स्थानों में मिली-जुली सरकारों को पांच साल से पहले ही चुनावों का सामना करना पड़ता है। इस प्रकार लोकतांत्रिक प्रणाली में जिम्मेदारी तो स्वतः ही निहित है। दूसरा है अधिकारी-तंत्र की जिम्मेदारी, इसके लिए प्रणालियाँ और प्रक्रियाएं होती हैं, लेकिन कई लोगों को लगता है की यह अपर्याप्त और अप्रभावी हैं। अधिकारी-तंत्र को जिम्मेदार बनाना काफी हद तक राजनैतिक इच्छा पर निर्भर करता है। तीसरा है गैर-राज्य संस्थाओं की जिम्मेदारी, जैसे NGOs, स्वैछिक संस्थाएं और सक्रीय प्रतिभागी। यह ऐसा क्षेत्र है जिसके बारे में कुछ कहना मुश्किल है। उन्हें एक प्रकार से 'रक्षक' माना जाता है, पर इन रक्षकों पर कौन नजर रखेगा? ऐसी प्रणाली होनी चाहिए जो इनकी पारदर्शिता और जिम्मेदारी सुनिश्चित करे। पर्यावरण

संरक्षण और समुदायों की भलाई के बड़े परिप्रेक्ष्य में निजी संस्थाओं की जिम्मेदारी एक बड़ी चुनौती है।

जिम्मेदारी पर एक और नजर

जिम्मेदारी के सम्बन्ध में एक अन्य बात है कि 'चूकों' के लिए भी व्यक्ति को जिम्मेदार ठहराना चाहिए। हमारी प्रणाली ऐसी है की व्यक्ति को गलत काम के लिए तो जिम्मेदार माना जाता है, लेकिन यदि कोई व्यक्ति कोई काम करने की चूक करता है, जो उसे करना चाहिए था, तो उसे जिम्मेदार ठहराना मुश्किल हो जाता है। इस प्रकार, प्रणाली व्यक्तियों को प्रोत्साहित करती है कि वह निर्णय न लें और इस तरह जिम्मेदारी से बचें, बजाए इसके कि वह उन लोगों को सशक्त करे जो शासन की भलाई को देखते हुए ठोस निर्णय लेते हैं।

इसलिए हमें जरुरत है की हम जिम्मेदारी के प्रति अपना रवैय्या बदलें। वर्तमान में हमारे पास प्रक्रियात्मक जिम्मेदारी है, प्रदर्शन की जिम्मेदारी नहीं। जो लेखा-परीक्षण होता है वह प्रक्रिया का होता है, प्रदर्शन का नहीं। यदि आप प्रक्रियाएं ठीक से करें, लेकिन आपका प्रदर्शन खराब हो, आप फिर भी अपना काम चला सकते हैं। लेकिन असलियत में प्रदर्शन को ज्यादा महत्व दिया जाना चाहिए, बजाए कि प्रक्रियाओं और कागजी काम को। चुनौती यह है कि हम ऐसी प्रणाली स्थापित कैसे करें?

जब हम लोगों की भागीदारी की बात करते हैं तो इसके अनेक पहलू होते हैं। क्या यह केवल सलाह माँगना है या हामी हैं या निर्णय लेने और क्रियान्वयन में असली भागीदारी? परामर्श की सबसे छोटी इकाई क्या है? क्या वह गाँव है, समुदाय है या परिवार है?

यदि गाँव वालों या समुदायों के बीच विवाद की स्थिति है तो आप भागीदारी कैसे सुनिश्चित करेंगे? आप एकमत पर कैसे पहुंचेंगे और इस एकमत तक पहुँचने के लिए आपको कितना इंतजार करना चाहिए?

जैसा राजनैतिक वैज्ञानिक रोबर्ट पुतनम कहते हैं- 'सुशासन सुनिश्चित करने में सामाजिक पूँजी एक बड़ी भूमिका निभा सकती है'। अपने पथ-प्रदर्शक अध्ययन में (मेकिंग डेमोक्रेसी वर्क) उन्होंने दिखाया है कि कैसे सामाजिक पूँजी ने इटली के एक क्षेत्र में शासन में सुधार किया है- जब इस क्षेत्र की

तुलना दूसरे क्षेत्र से करते हैं जहाँ यह सामाजिक पूँजी उपलब्ध नहीं थी। लेकिन, भारतीय परिप्रेक्ष्य में हमें जागरूक होकर सामाजिक पूँजी बनानी होगी -यह सोचकर की व्यावसायिक और असैनिक समाज का दायरा 'गोत्र' और 'जाती' के परे है। यह हमारे लिए एक चुनौती है।

अच्छा शासन प्रदान करने में मीडिया का भी बड़ा हाथ होता है। जबकि मीडिया सबकी खामियां हमारे सामने लाता है, उसका फर्ज है कि वह लोगों की सफलताओं को भी उजागर करे ताकि लोग इससे प्रेरणा लें और उन लोगों को भी प्रोत्साहन मिले जो अनेक प्रतिबंधों के बावजूद कुछ नया करते हैं और अच्छा प्रदर्शन देते हैं। पारदर्शी प्रणालियाँ स्वतः ही भ्रष्टाचार कम करती हैं। हालाँकि ऐसा लगता है की 'पारदर्शिता' और 'खुलापन' एक ही चीज है, शासन के परिप्रेक्ष्य में वह दो अलग-अलग बातें और सोच हैं।

पारदर्शिता यह है कि आप लोगों को यह बताएं की सरकार ने क्या-क्या काम किया है, कर रही है और करना चाहती है। या यूँ कहें तो पारदर्शिता यह है कि आप लोगों को बताएं कि अपने क्या-क्या निर्णय लिए और यह निर्णय कैसे लिए गए। लेकिन 'खुलापन' है लोगों को संलग्न करना जो निर्णय लेने की प्रक्रिया में अंशधारक हैं। खुलेपन से लोगों की भागीदारी सुनिश्चित हो सकती है।

यह खुलापन ही लोकतान्त्रिक शासन का आधार है। पारदर्शिता जानकारी का अधिकार है, जबकि खुलापन भागीदारी का अधिकार है। अच्छा शासन और एक सोच और निर्णय साथ-साथ चलते हैं। इस प्रकार, खुलेपन से भागीदारी बढ़ती है और भागीदारी से एक सोच विकसित होती है। जब सोच एक होती है तो उससे राज्य की प्रणाली आपकी मुश्किलों को और अच्छी तरह समझने लगती है और ऐसे सामाजिक-राजनैतिक बदलाव आने शुरू होते हैं जिनसे यह पता चलता है की लोगों की भलाई के लिए नेता अपनी शक्तियों का इस्तेमाल किस प्रकार से कर रहे हैं।

फाइल के परे

अच्छा शासन फाइलों से हटकर लोगों की जिन्दगी को देखता है। असल मुश्किलें सरकारी फाइलों में नहीं होतीं और इसलिए असली हलों की खोज जीवन में ढूंढ़नी चाहिए, जिसका अर्थ है की अच्छा शासन ऊंची-ऊंची इमारतों

और वातानुकूलित कमरों में नहीं पाया जा सकता, जहाँ बैठकर मीटिंग्स की जाती हैं। यह हल ग्रामीण इलाकों में मिलते हैं जहाँ मुश्किलों के साथ हल भी होते हैं, लेकिन उन लोगों को नजर नहीं आते, जो बड़े बड़े मकानों में रहते हैं। इसलिए, मैं मनाता हूँ कि अच्छे शासन का आधार लोगों की मिली-जुली सोच में है, शासन के खुलेपन में है और लोगों की भागीदारी में है। बिना अच्छे शासन के सरकारी प्रणाली हर हाल में बेकार हो जाएगी। यह समावेश नहीं कर पाएगी और न ही लिंग में समानता स्थापित कर पाएगी और एक ऐसे समय में जबकि महिलाएं सब क्षेत्रों में आगे बढ़ रही हैं, निर्णय लेने की प्रक्रिया में महिलाओं की भागीदारी नहीं बढ़ेगी। असैनिक समाज की संस्थाओं को नजदीकी से सरकारों और निजी क्षेत्र के साथ मिलकर काम करना चाहिए ताकि विकास का फायदा गरीबों तक पहुंचे। इसलिए हम कह सकते हैं की सुशासन वह लेई है जो राजनेताओं, सरकारी तंत्र और असैनिक समाज को एक डोर में बांधती है।

प्रेषण की प्रणाली

अपनी किताब, रेवेंटिंग गवर्नमेंट, डेविड ओस्बोर्न और टेड गब्लर उन बदलावों की बात करते हैं जो लाए जाने चाहिएं ताकि सुशासन दिया जा सके।

उत्प्रेरक सरकार: चालन के बदले संचालन।

समुदाय के स्वामित्व की सरकार: सशक्तिकरण करना; ......नहीं।

स्पर्धात्मक सरकार: सेवा के प्रेषण में स्पर्धा लाना।

नतीजा-प्रधान सरकार: नतीजों को फंड्स देना, इनपुट्स को नहीं।

ग्राहक-प्रधान सरकार: ग्राहकों की जरूरतें पूरी करना, नौकरशाहों की नहीं।

पूर्वनुमानिक सरकार: किसी बीमारी से रोकथाम।

विकेन्द्रित सरकार: अनुक्रम से लेकर भागीदारी और टीम वर्क तक।

बाजार-प्रधान सरकार: इस बदलाव को बाजार के माध्यम से लाना।

इसका रहस्य

एक राजनेता को अपनी निजी महानता या अपने उत्तराधिकारी के लिए त्याग नहीं करना पड़ता; बल्कि अपने लोगों की असली खुशहाली के लिए। इसका सबसे अच्छा उदाहरण हैं सरदार वल्लभ भाई पटेल और उनका दृढ़

संकल्प। वे चाहते थे भारत को मजबूत और खुशहाल देश बनाना। जब भारत को स्वतंत्रता मिली तो हमारे नेताओं के समक्ष एक मुश्किल थी- 'क्या एक ऐसे देश को स्वीकृति दें जो पुराने जमाने के साम्राज्यों के बीच था, जिसके लिए बाहरी शक्तियां जिम्मेदार थीं।' सरदार पटेल को मालूम था कि ऐसे देश को केवल कूटनीति के बल पर एक नहीं किया जा सकेगा। इसलिए, जहाँ जरुरत थी उन्होंने राजनैतिक समझौते किए, जिनका समर्थन सैनिक शक्ति से किया, ताकि उस समय बन रही केंद्र सरकार और संविधान की प्रमुखता बनी रहे। सरदार पटेल को एकीकृत भारत का प्रतीक माना जाता है, हालाँकि कई लोग थे जो यही बात चाहते थे। ऐसा क्यों? वे केवल कर्म में विश्वास रखते थे। उन्होंने कूटनीति और समझौते का मिला-जुला प्रयोग करके एक एकीकृत भारत को बनाने में योगदान दिया। अच्छा शासन उनके कार्यों में नजर आता था। वह केवल बोलते नहीं थे, बल्कि करके दिखाते थे। इस प्रकार अच्छा शासन कार्यों में दिखना चाहिए, केवल इच्छाओं और चाहतों में नहीं। यह अलगाववादी तत्वों के विरुद्ध हमारा अस्त्र होना चाहिए। कम शब्दों में कहें तो, 'अच्छा शासन' लोगों की सोच पर निर्भर होता है। लोगों को यह लगना चाहिए कि आज जो रहा है, वह उनके भविष्य के भले के लिए हो रहा है।

प्रधानमंत्री नरेन्द्र मोदी का मानना है कि अच्छे शासन का अर्थ है लोगों को गुणवत्ता की सेवाएं देना। इसके लिए लोग पैसे देने को तैयार होते हैं। गरीब लोग भी कुछ भी मुफ्त के सामान की उम्मीद नहीं रखते। मैं यह बात अपने 30 वर्ष के अनुभव से कह रहा हूँ। एक बार जब मैं संघ का प्रचारक था तो मैं एक आदिवासी क्षेत्र में बस का इंतजार कर रहा था। एक गरीब आदिवासी जोड़ा भी नजदीक खड़ा था। मैंने उस आदमी से पूछा कि वह कहाँ जा रहा है और उसने मुझे गाँव का नाम बताया। 15 मिनट में एक बस आई और वह उस गाँव से गुजरती जिसका उसने नाम लिया था, परन्तु वह आदमी उसमें नहीं चढ़ा। दस मिनट बाद एक और बस आई और यह बस भी उस गाँव से गुजरने वाली थी, लेकिन फिर भी वह बस में नहीं चढ़ा। जब मैंने उससे कारण पूछा तो उसने मुझे बताया कि वह बसें साधारण थीं और वह चाहता था कि वह एक्सप्रेस बस में जाए, हालाँकि उनका भाड़ा

साधारण बस से अधिक था। इस बात से यह साबित होता है कि गरीबों को भी अच्छी सुविधाएँ चाहिए होती हैं। इसका मतलब अच्छे शासन का अर्थ है अच्छे स्तर और अच्छी गुणवत्ता।

नीति और स्पष्टता

प्रश्न ढाँचे को बदलने का नहीं है, बल्कि प्रश्न है कि वर्तमान प्रणाली में सुधार लाया जाए और प्रभावी रूप से सेवाएं प्रदान की जाएँ। प्रणाली को प्रभावी बनाने के लिए हमें अपनी प्रणाली में विश्वास होना चाहिए, हमारी नीतियां स्पष्ट होनी चाहिएं। पहले हमें मार्गदर्शन ठीक देना चाहिए, फिर हमारी जवाबदेही पर प्रश्न उठाना चाहिए। अच्छे शासन का अर्थ केवल जवाबदेही नहीं है, बल्कि 'जिम्मेदारी' भी है। पहले हमारे प्रशासकों को जिम्मेदार होना चाहिए और फिर हमारे नागरिकों को।

अपने लोगों को जिम्मेदार और जवाबदेह बनाने के लिए हमें उनका सही मार्गदर्शन करना चाहिए। मार्ग दर्शन का अर्थ है उन्हें स्पष्ट विकल्प देना और उनके नतीजों के बारे में बताना ताकि वह सोच समझ कर निर्णय ले सकें। यदि आप लोगों को विकल्प देंगे और इनके आधार पर लोग अपने निर्णय लेंगे, तो यदि नतीजे ठीक न निकले, तो आपको इसके लिए जवाबदेह माना जा सकता है। इसलिए कई लोग स्पष्ट मार्गदर्शन नहीं देना चाहते क्योंकि भविष्य में उन्हें जवाबदेह ठहराया जा सकता है। परन्तु जब तक आपके पास जिम्मेदारी लेने की हिम्मत नहीं है, तब तक आप अच्छा शासन नहीं प्रदान कर सकते। अच्छा शासन केवल अच्छे इरादों से हासिल नहीं होता। हमें अपने आप पर पूरा भरोसा होना चाहिए और अपनी कमजोरियों और अपनी ताकतों के बारे में पता होना चाहिए। जब कोई व्यक्ति मंत्री बनता है तो उसे पता चलता है की उसके विभाग के सामने और लोगों के सामने क्या समस्याएं हैं। जब आप इसकी गहराई में जाएंगे, तो ही आप पूरी बात समझेंगे। परन्तु क्या आपको विभाग की संभावनाएं दिखती हैं? मुश्किलों और समस्याओं के माध्यम से अपने विभाग को जानना गलत है। पहले आपको विभाग की मजबूतियों के बारे में जानना चाहिए- आपको उसकी संभावनाएं समझनी चाहियें, जैसे संसाधन, मानव संसाधन, अधिकारियों की क्षमता, आदि। हमें उन बातों के बारे में जानना चाहिए जो विभाग ने अतीत में प्राप्त की हैं और

किन परिस्थितियों में ऐसा हुआ है। उसके बाद हमें विभाग की असफलताओं और उनके कारणों पर आना चाहिए। संक्षिप्त में हमें SWOT परीक्षण करना चाहिए जिसका अर्थ है, स्ट्रेंथ, वीकनेस, ओप्पोर्तुनिटीज और थ्रेट्स यानि कि ताकत, कमजोरी, अवसर और धमकियाँ। यदि हम ऐसी सोच लेकर चलेंगे तो हम आगे बढ़ सकते हैं और समाधानों के बारे में सोच सकते हैं।

समझ के साथ शासन

अधिकांश समय सरकार मुश्किलों का सामना कर रही होती है और तत्काल हल निकाल रही होती है। लेकिन हमें ऊपरी हलों के बदले समस्या की जड़ तक जाना चाहिए। यदि एक डॉक्टर किसी मरीज के लक्षणों का इलाज करके छोड़ देगा, तो उसकी बीमारी वापस आ जाएगी। एक विशेषज्ञ केवल लक्ष्यों का इलाज नहीं करता, वह बीमारी की जड़ तक जाता है। इसी तरह, अच्छा शासन भी अभ्यासिक हलों की खोज करता है।

अच्छा शासन टीमवर्क का नतीजा होता है, इसलिए यह जरूरी है कि एक अच्छी टीम बनाई जाए-यह पहला कदम है-एक ऐसी टीम जो पार्टी के अंदर और प्रशासन के अंदर रहकर काम करे। टीम को वर्तमान नियमों का पालन करना चाहिए; तभी हम लम्बे समय का अच्छा शासन प्राप्त कर सकते हैं।

बिना स्व-अनुशासन के हम अच्छा शासन नहीं प्राप्त कर सकते। सबसे पहले हमें अपने आप का आंकलन करना चाहिए। हमारा रवैय्या और व्यवहार कैसा होता है?

यदि हम छोटी-छोटी बातों का ख्याल रखना शुरू कर दें, तो इनसे भी हमारे जीवन में बड़े बदलाव आ सकते हैं, उदाहरण के लिए दूसरे लोगों का समय बर्बाद नहीं करना; हम कितनी बार अपने कर्मचारियों, अफसरों आदि एक समय खराब करते हैं। यदि मैं ऐसी मीटिंग में एक घंटा देर से पहुँचता हूँ, जिसमें 100 अन्य लोग उपस्थित हैं, तो मैं केवल एक घंटा खराब नहीं कर रहा, बल्कि 100 घंटे खराब कर रहा हूँ। इसी तरह यदि मीटिंग लम्बी चल जाती है तो भी समय बर्बाद होता है, क्योंकि यह नियोजित नहीं था। इस तरह से काम करने से आपकी उत्पादकता कम हो सकती है। कई बार हमें यह नहीं पता होता की हम किस बात पर चर्चा करना चाहते हैं

और किसके साथ करना चाहते हैं, इसलिए हम सबको फोन करके पूछते हैं और सबका समय नष्ट करते हैं। कई लोग केवल हमारी खुशी के लिए वहां उपस्थित होते हैं। इसलिए यह पूछने के बदले कि कोई अफसर वहां उपस्थित क्यों नहीं है, हमें यह पूछना चाहिए कि वह वहां उपस्थित क्यों है। वास्तव में अच्छा स्व-अनुशासन ही अच्छा शासन है। अच्छे शासन का अर्थ केवल एक बड़ा अभियान करने में नहीं है, बल्कि यह खुलेपन और लोगों को संलग्न करने की बात है। लोगों को प्रक्रियाओं, मुश्किलों और हलों के बारे में पता होना चाहिए।

तब वे परिस्थिति से ताल-मेल बैठाएंगे या दूसरे हल ढूंढेंगे। कई बार प्रशासन लोगों से बातें छुपाना चाहता है और सब कुछ साधारण होने की स्थिति जताना चाहता है। इसके विपरीत लोगों को मुश्किलों और हलों के साथ सच्चाई बतानी चाहिए। यदि पानी की कमी है, तो उन्हें बताया जाना चाहिए की पानी की कमी कम बारिश के कारण थी और उनके सामने इसके हल रखे जाने चाहिएं। वह अपने आप ही स्थिति का हल निकालेंगे। लोकतान्त्रिक शासन की नींव भी यही है; मैं आपके साथ अपना एक अनुभव साझा करता हूँ। जब हमने भूचाल से सबसे बुरी तरह प्रभावित कच्छ के चार शहरों में शहर नियोजन किया तो हमें सड़कों को चौड़ा करना पड़ा और इसके लिए हमें लोगों से उनकी मूल्यवान घरेलू जमीन लेनी पड़ी। जरा सोचिए, लोग तो पहले ही भूचाल की मार खा चुके थे और उसमें जान-माल का भारी नुकसान हुआ था। इसके ऊपर उन्हें अपनी जमीन से भी हाथ धोना पड़ रहा था और कहीं और जाना पड़ रहा था, या छोटे क्षेत्र से संतुष्ट होना पड़ रहा था। लेकिन इसके लिए हमें ज्यादा रुकावटें नहीं झेलनी पड़ी क्योंकि हमने 180 सार्वजनिक सभाएं कीं।

हम लोगों से गुटों में मिले, क्षेत्रानुसार मिले और उन्हें अपने प्रस्ताव के बारे में बताया, उनके सुझाव मांगे और योजना को अंतिम रूप दिया। लोगों को समझ में आ गया कि उन्हें अपनी जमीन से दूर जाकर कहीं और अपना ठिकाना बनाना पड़ेगा, ताकि उनका जीवन बेहतर बने। वह अपने भविष्य के लाभों को देख पा रहे थे-कि कैसे उनके पास बेहतर सुरक्षा और अवसंरचना होगी और उनकी परिसंपत्ति का मूल्य भी ज्यादा होगा। इस प्रकार खुलेपन से हमारा काम आसान हो गया।

खुलेपन का समीकरण

'पारदर्शिता' और 'खुलापन' लोगों को जानकारी देने के बारे में है। उसे एक सरल समीकरण से समझाया जा सकता है।

पारदर्शिता + भागीदारी = खुलापन

क्या अच्छे शासन को समझने का इससे बेहतर तरीका होगा? क्या लोकतंत्र में इसको प्रयोग में लाने के लिए कोई मानदंड है? मुझे लगता है कि शायद 'है'। महात्मा गाँधी ने कहा था, "मैं आपको एक ताबीज देता हूँ, जब भी आप किसी शंका के शिकार होते हैं या आप अपने आप से जूझ नहीं पाते, तो नीचे दिया गया परीक्षण कीजीए: अपने जिन्दगी में जो सबसे गरीब और दीन व्यक्ति देखा हो उसका चेहरा याद करने की कोशिश कीजीए और अपने आप से पूछिए कि क्या आप जो करने जा रहे हैं उससे उस आदमी का कुछ भला होगा या नहीं? क्या इससे उसकी जिन्दगी में कोई नियंत्रण आ जाएगा? या क्या ऐसा करना से लाखों भूखे और गरीब लोगों का पेट भर जायेगा? आप पाएंगे कि आपकी संकाएँ अपने आप दूर हो रही हैं।"

यह कथनी आज भी उतनी उचित है जितनी यह अतीत में थी और यही अच्छे शासन का मानदंड है। यह वह अच्छा शासन है जिसके लिए पंडित दीनदयाल उपाध्याय प्रयत्न करते रहे- जिससे गरीबों का उद्धार हो। अच्छा शासन केवल एक अच्छा उपदेश बनकर नहीं रह जाना चाहिए, बल्कि उसे 'सच्चाई' में बदला जाना चाहिए।

■■■

www.ingramcontent.com/pod-product-compliance
Lightning Source LLC
LaVergne TN
LVHW010051061026
849532LV00004BC/1222
* 9 7 8 9 3 5 2 9 6 6 7 9 0 *